BAEDEKER SMART

Irland

MAIRDUMONT – www.baedeker.com

Wie funktioniert der Reiseführer?

Wir präsentieren Ihnen Irlands Sehenswürdigkeiten in fünf Kapiteln. Jedem Kapitel ist eine spezielle Farbe zugeordnet. Um Ihnen die Reiseplanung zu erleichtern, haben wir alle wichtigen Sehenswürdigkeiten jedes Kapitels in drei Rubriken gegliedert: Einzigartige Reiseziele sind in der Liste der »TOP 10« zusammengefasst und zusätzlich mit zwei Baedeker Sternen gekennzeichnet. Ebenfalls bedeutend, wenngleich nicht einzigartig, sind die Sehenswürdigkeiten der Rubrik »Nicht verpassen!«. Eine Auswahl weiterer interessanter Ziele birgt die Rubrik »Nach Lust und Laune!«.

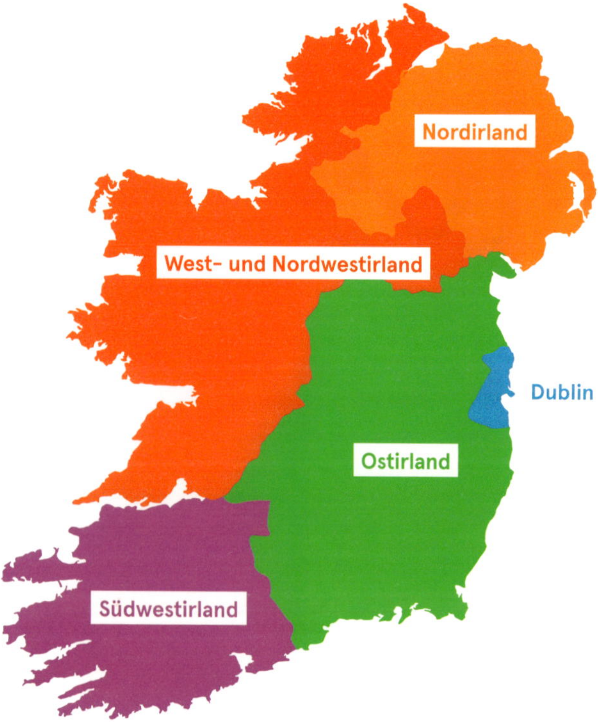

Das Magazin

Dublin

Ostirland

Südwestirland

West- und Nordwestirland

Nordirland

Spaziergänge & Touren

Praktische Informationen

Anhang

Magische Momente

Kommen Sie zur rechten Zeit an den richtigen Ort und erleben Sie Unvergessliches.

Die Docklands an Dublins Lebensader Liffey wurden renoviert und innoviert – ein Hauch von Weltstadt.

Auf der Insel Skellig Michael, dem »Splitter« des Erzengels, führen rund 600 unregelmäßige Stufen zu einem der schönsten Klöster Irlands.

1

2

ANDREW RYAN
3

4

5

6

7

8

9

10

★★ Baedeker Topziele

Unsere TOP 10 helfen Ihnen, von der absoluten Nummer eins bis zur Nummer zehn, die wichtigsten Reiseziele einzuplanen.

❶ ★★ Ring of Kerry
Eine reizvolle, wenn auch viel befahrene Route rund um die schönste Halbinsel Irlands; atemraubende Ausblicke und eine grandiose Küstenwelt sichern ihr Platz eins (S. 106).

❷ ★★ Blarney Castle
Die gewaltige Burg kennt selbst im burgenreichen Irland jedes Kind. Warum? Weil jeder in schwindelerregender Höhe den Blarney Stone küssen will (S. 110).

❸ ★★ Kilkenny
Das schönste Städtchen der Republik bezaubert durch seine Lage am Fluss und seine Altstadt mit engen Gässchen und jahrhundertealten Gebäuden (S. 76).

❹ ★★ The Burren & Cliffs of Moher
Dramatisch fallen die Klippen in den Atlantik; am schönsten ist der Anblick von unten – nämlich vom Ausflugsboot her über das Wasser steil nach oben (S. 138).

❺ ★★ Trinity College & Book of Kells
Im Trinity College wird das einmalige Buch von unschätzbarem Wert hinter einer gläsernen Abdeckung geschützt. Regelmäßig werden zwei neue Seiten gezeigt (S. 44).

❻ ★★ National Museum of Ireland
Bereits von außen ein architektonisches Highlight, finden sich im Inneren Schätze von unvorstellbarem Wert – Stolz der Iren noch im fernen Ausland (S. 48).

❼ ★★ Brú na Bóinne
Die Gräber aus der Jungsteinzeit sind ein faszinierendes Fenster in die irische Vergangenheit und warten einmal im Jahr mit einem unglaublichen Erlebnis auf (S. 78).

❽ ★★ Küste von Antrim & Giant's Causeway
40 000 Basaltsäulen, über 60 Millionen Jahre alt – kein Wunder, dass die UNESCO diesen Ort zum Weltnaturerbe erklärt hat (S. 170).

❾ ★★ Rock of Cashel
Mythos und Geschichte vereinen sich an dem 65 m hohen Berg mit Rundturm, Kirche und Burg. Für die Iren eines der Wahrzeichen ihrer Insel, das der hl. Patrick segnete (S. 84).

❿ ★★ Dingle Peninsula
Die nördlichste von fünf Halbinseln im äußersten Südwesten Irlands kennzeichnen herbe Schönheit und der Mythos von Freiheit und Abenteuer (S. 112).

Ein Gefühl für Irland bekommen ...

Erleben, was Irland ausmacht, sein einzigartiges Flair spüren. So wie die Iren selbst.

Mittagspause im Grünen

Kaum zeigt sich die Sonne in Dublin, strömt alles auf die Rasenflächen des Parks St. Stephen's Green. Angestellte nehmen mit ihren Lunchpaketen auf den Parkbänken Platz, Studierende trinken einen Kaffee im Gehen. Eigens ausgebreitete Liegedecken werden von Firmen und Hotels der Umgebung für Angestellte und Gäste reserviert. Man lässt es sich gut gehen und sieht den Enten und Schwänen auf dem Teich zu.

Straßenkunst

Seit Jahrzehnten das gleiche Schauspiel: Dublins Grafton Street (S. 38) ist die Freilichtbühne der Insel. In der Fußgängerzone und Haupteinkaufsstraße wird kleines Geld mit teils großer Kunst gemacht. Es werden herzzerreißende Balladen geträllert und Gedichte rezitiert. Die Männer in schwarzen Masken sind keine Skulpturen – sie beherrschen die Kunst, sich minutenlang nicht zu bewegen.

In vollem Galopp

Pferderennen, sei es auf flachem Grund oder über Hindernisse, sei es in Stadien oder auf Naturflächen, sind eine irische Leidenschaft. Die Farben der besten Jockeys kennt jeder, und einen Fünfer auf Sieg setzt man schnell mal. Die Galway Races im Sommer sind dann schon Treffen der Haute Volée, samt Krönung der am besten herausgeputzten Dame.

Genussvolles Stöbern

Bunt, märchenhaft, romantisch, mit dem Flair vergangener Tage: Die Produkte von Avoca haben in Irland mittlerweile eine große Fangemeinde. Blusen und Bilderrahmen, Becher und Glückwunschkarten im nostalgischen Look, Kerzenhalter und Kochbücher – stets findet man ein außergewöhnliches Geschenk. Vierzehn Avoca-Filialen gibt es inzwischen im Land; besonders schön, weil in einem historischen Haus mit Park untergebracht, ist das Avoca Powerscourt House Store & Terrace Café (S. 73).

St. Stephen's Green in Dublin: Junge Leute sitzen auf dem Rasen in der Sonne vor dem Soldatendenkmal Fusiliers' Arch.

In Galways Einkaufsmeile Shop Street ist immer für Unterhaltung gesorgt.

Seetang verjüngt angeblich die Haut und ist deshalb äußerst trendy.

Iren in der Badewanne

Baden in Seetang und Meerwasser ist auf der Grünen Insel wieder in Mode gekommen, nachdem es lange Zeit als völlig verschroben galt. Seit Wissenschaftler zeigten, dass die maritimen Bestandteile als Verjüngungsmittel für die Haut gelten können, ist die Begeisterung nicht mehr zu bremsen. Voya Seaweed Baths (Strandhill, County Sligo, www.voyaseaweedbaths.com) lädt montags bis samstags von 10 bis 20 Uhr zum Bad. Alternativ könnte man sich ja auch direkt im Meer im Seetang »wild« und kostenlos aalen ... das ist aber weitaus weniger angenehm und recht kalt.

Lunch unter Iren

Die großartige National Gallery in Dublin ist nicht nur ein Anziehungspunkt für Kunst und Kultur, sondern lockt auch hungrige Besucher in ihr Café und Restaurant. Man holt sich eins der preiswerten Tagesgerichte, bedient sich beim frisch ausgeschenkten Tafelwasser und hat Kunstgenuss im Vorbeigehen.

Gallery Café
✉ Millennium Wing, Merrion Sq. West, Dublin
🌐 www.nationalgallery.ie
◑ So/Mo 11–17, Di/Mi, Fr/Sa 9.30–17 Uhr

James Joyce zum Lunch

Seit Mitte des 19. Jhs. diente Sweny's Pharmacy ihren Kunden. Und am 16. Juni 1904 erwarb Leopold Bloom im Roman *Ulysses* hier ein Stück Zitronenseife. Die frühere Apotheke ist heute ein Secondhand-Buchladen, in dem sich Literaturfans und Touristen treffen. Um 13 Uhr wird aus Werken von James Joyce gelesen.

Sweny's Pharmacy
✉ 1 Lincoln Pl., D2
🌐 www.sweny.ie
◑ Mo–Sa 11–17, Lesungen Mo–Fr 13, Do auch 19, Sa 11 Uhr 🎟 frei

Farbenfroher Markt

Morgens werden in der Moore Street in Dublin die Marktstände aufgebaut. Die Waren, hauptsächlich Obst, Gemüse und Blumen, werden teilweise mit Pferdewagen herangebracht. Hier darf man übrigens das Gewünschte nicht selbst aussuchen – das macht allein die Marktfrau. Die kleinen Geschäfte, Cafés und Restaurants der Straße werden meist von Immigranten betrieben, Früchte aus Mauritius konkurrieren mit polnischen Würsten (Mo–Sa 8–16 Uhr).

Brennende Leidenschaft

Eine uralte Whiskey-Brennerei lockt in Kilbeggan (30 km östl. von Athlone, www.kilbegganwhiskey.com). Seit 1757 wird am Fluss Brosna Whiskey gebrannt. Beinahe wäre es dann zu Ende gewesen, wenn nicht eine Bürgerinitiative aus dem stillgelegten Betrieb ein Museum gemacht hätte. Der Einsatz wurde belohnt: 2007 lief die Produktion wieder an – einschließlich täglicher Führungen durch die historische und die neue Destillerie (25 €).

Clew Bay Trail Ride: Ausritt für erfahrene Reiter an den Stränden von Westport

Das Magazin

Typisch Irland? Unterwegs begegnen Sie redseligen Fiddlespielern wie wortkargen Fischern. Selbst die alte irische Sprache lebt.

Seiten 12–33

Fáilte Éireann – Willkommen in Irland

Während der letzten Jahrzehnte hat Irland tief greifende Veränderungen erlebt und entwickelte sich vom ländlichen Idyll zu einem modernen europäischen Staat. Jenseits einstiger Klischees ist die Insel im Hier und Heute angekommen und wahrt dabei stolz ihr historisches Erbe.

Über Generationen galt Irland als abenteuerlich und rückständig, ebenso als permanentes Opfer von Armut und Unterdrückung. Als die Katholiken im 19. Jh. endlich wieder mehr Freiheit genossen, wurde Irland von der Großen Hungersnot (S. 22) heimgesucht. Der folgende Wiederaufbau des verelendeten Landes war begleitet von oft rauen nationalistischen Tönen und dem unstillbaren Wunsch nach Unabhängigkeit.

Als sich dieser Wunsch erfüllte, nach der Selbstverwaltung und der Gründung des Freistaats Irland 1922, begann das Ringen um den Status der Republik und einen Kurs weg von Westminster. Zugleich führte das Problem Nordirland zu einer Spirale der Gewalt, die bis heute nachhallt. Die Republik, seit 1973 Mitglied der EU, blieb lange das »Armenhaus Europas« – bis zum Anfang der 1990er-Jahre, als man mit interessanten Steuermodellen und einem bereitstehenden Heer junger Arbeitskräfte ausländische Investoren ins Land lockte. Inzwischen sind neben Dublin auch Cork, Galway und sogar Belfast zu lebendigen, weltoffenen, multikulturellen Städten geworden.

Boom und Pleite

Dieser Celtic Tiger genannte Boom brachte zwar den lange vermissten Wohlstand auf die Insel, mündete jedoch in eine Spekulationswut, die weite Bevölkerungsteile mitriss, man lebte auf Pump. So kehrten am Ende der ersten Dekade dieses Jahrhunderts alte Schwierigkeiten zurück, mit Arbeitslosigkeit und Wertverfall von Immobilien.

Angesichts des starken Euro und hoher Preise daheim strömte die Einwohnerschaft der Republik scharenweise in den Norden. Dort kaufte man billig ein, und selbst heute noch lohnt sich der grenzüberschreitende Einkauf von Alkohol enorm.

In Nordirland ermöglichte erst das Karfreitagsabkommen von 1998 eine Wende. Nach der Niederlegung der (meisten) Waffen konnte man sich darauf konzentrieren, das Land wieder auf Vordermann zu bringen.

Modernes Irland

Beide Teile Irlands aber haben immer noch an den Folgen der Finanzkrise zu knabbern, Brexit, Covid-19 und Ukrainekrieg kamen dazu, Geflüchtete und Asylbewerber werden manchen Ortes von »besorgten Bürgern« misstrauisch betrachtet. Dennoch ist ganz Irland ein Land des Willkommen – mit verbesserter Infrastruktur, einer im 21. Jh. angekommenen Gastronomie, modernem Hotelstandard. Und vielen unzerstörten Landschaften.

Die Samuel Beckett Bridge in Dublin hat die Form einer Harfe – das uralte Wahrzeichen Irlands.

Eine Sportnation

Die Iren treiben Sport mit einer guten Portion Optimismus, viel Herzblut, einem Schuss Romantik und – wenn man die Größe Irlands bedenkt – beachtlichem Erfolg.

In ganz Irland gibt es Profisportveranstaltungen, oft mit internationalen Partnern. Im Golf beispielsweise bieten hervorragende Plätze zahlreiche Turniere auf der ganzen Insel an, viele davon in herrlicher Lage direkt an der Küste. Die Nationalelf der Republik hat sich dreimal zu Fußballweltmeisterschaften qualifiziert. Unvergessen

Irland besitzt einige der besten Golfplätze der Welt.

Bereits seit 1868 donnern Galopprennen über den spätsommerlichen Strand von Laytown.

ist auch der Sieg über England, bei der Europameisterschaft 1988 in Stuttgart. Die nordirische Elf schaffte es ebenfalls dreimal zur WM. Das härtere Rugby, bei dem man international mit einer gesamtirischen Mannschaft sehr erfolgreich antritt, erscheint jedoch mittlerweile noch populärer.

Die Liebe der Iren zu Pferden währt seit Tausenden von Jahren. The Curragh in Kildare, eine der bekanntesten Pferderennbahnen der Welt, lockt Kenner in Scharen an, die sich mit Wetteinsätzen überbieten.

Hurling ist in Irland sehr populär.

Gälische Spiele

Das alles ist aber »Importsport«, auf Basis der Graswurzelbewegung besinnt man sich eher der irischen Tradition. Die unter »Gaelic Games« zusammengefassten Sportarten schaffen ein irisches Zusammengehörigkeitsgefühl, beginnend auf Gemeindeebene. Gespielt wird hart, aber mit Humor, ohne Profistatus, bodenständig und mit einem gesunden Ehrgeiz. Besonders unterhaltsam sind der gälische Fußball (bei dem der Ball mit Fuß und Hand gespielt werden darf) und das Hurling.

Selbst unter den begeisterten Fans im Publikum zu sein, wenn die Spieler hinter einem Wurf herrennen und mit ihren keulenförmigen Hurley-Schlägern auf den *sliotar,* einen Lederball, schlagen, ist ein echtes Erlebnis, egal, ob Sie beim Irland-Finale in Dublins Croke Park unter 80 000 Zuschauern sind oder auf dem Gelände eines Ortsvereins am Ende der Welt.

Sport für Alle

Unter den Sportarten auf dem und am Wasser sind die Favoriten Kitesurfen in Cork und Clare, Surfen in Donegal, Kitebuggying und Landboarding in Derry. Wandern und Klettern sind durch die Kennzeichnung von über 40 Fernwegen sehr viel einfacher geworden. Das Angeln ist nach wie vor eines der beliebtesten Urlaubsvergnügen. Außerdem gibt es Trabrennen und das ausgefallene Road Bowling (Boßeln) bei Süd-Armagh und West-Cork. Bei diesem Geschicklichkeitsspiel müssen die Spieler eine massive Eisenkugel über mehrere Kilometer auf Spazierwegen mit möglichst wenigen Stößen vorwärtstreiben.

Irische Mythen

Die irische Mythologie gilt gemeinhin als bloßes Sammelsurium von Heldenepen, fußt jedoch hauptsächlich auf vier großen Sagenkreisen. Sie waren alle von großem Einfluss auf die nationale Kultur und verraten viel über das kollektive Selbstgefühl der Iren.

Der Invasions-Zyklus geht zurück auf frühe schriftliche Überlieferungen, wie das *Lebor na hUidre* oder »Buch der Falben Kuh«, benannt nach dem Ledereinband. Dort findet sich die Sage von Tuan, der per Reinkarnation die Geschichte Irlands erlebte. Im 12. Jh. erzählte er das dem Mönch St. Finnen (Finnian), der fleißig und vollkommen unkritisch mitschrieb.

Tuans Bericht spiegelt die Besiedlungsgeschichte Irlands durch Parthalonier, Firbolg, Tuatha Dé Dannan und Milesier – die jeweils einander ablösten. Nur die beiden Letztgenannten verharrten dauerhaft in Waffenruhe. Die göttliche Rasse der Tuatha Dé Dannan übernahm die Unterwelt und lebte verborgen in Ganggräbern und Steinzirkeln, während die Milesier das Land kultivierten. Viele irische Familien führen ihren Ursprung noch heute auf diese angeblichen »Urkelten« zurück.

Ulster-Zyklus

Hauptstück des um Christi Geburt spielenden Zyklus ist die Sage vom *Táin Bó Cúailnge*, dem Rinderraub von Cooley, in der Helden wie Conor mac Nessa, Cú Chulainn und die Red Branch Knights von Ulster ihr Land gegen das Heer der Königin Medb von Connacht verteidigen.

Wohnsitz des Königs von Ulster war Emain Macha (Navan Fort; S. 185) bei Armagh, benannt nach der Göttin Macha. Einst als Schwangere zu einem Wettlauf gezwungen, bekam sie Wehen und verfluchte die Männer von Ulster: Wenn das Land in größter Gefahr sei, sollten sie die Schmerzen des Gebärens verspüren.

Als Königin Medb, Besitzerin des Weißen Stiers von Connacht, zu Ohren kam, der Braune Bulle von Ulster überträfe ihren Stier an Größe, rüstete sie ein Heer und zog nach Ulster, um das Tier in ihren Besitz zu bringen. Conors Elitetruppen, Krieger des *Craobh Rua*

Die sieben Steinkreise von Beaghmore (County Tyrone) wurden erst 1945 entdeckt (oben).

Die Welt des alten Irland wird in vielen Museen greifbar – als *living history* (rechts).

(Red Branch), wurden bei der Verteidigung Ulsters tatsächlich von wehenähnlichen Schmerzen befallen und richteten, schutzlos und verzweifelt, ihre letzte Hoffnung auf den »Superhelden« Cú Chulainn. Diese prominenteste Gestalt der irischen Mythologie wird so Hauptakteur des *Táin*. Als Sohn des Gottes Lugh und der Deichtine waren ihm Ruhm und Ansehen vorherbestimmt, aber keine Unsterblichkeit gegeben.

Geschult im Kriegshandwerk und im Besitz magischer Kräfte, wurde er zum Inbegriff des irischen Heroen, der die Feinde im Dutzend erschlug. Höhepunkt seines Lebens wurde der Rinderraub von Cooley, als er die größten Recken von Connacht zur Strecke brachte, einschließlich seines abtrünnigen Ziehbruders Ferdia. Die Geschichte jener Schlacht, des *Combat at the Ford*, zählt zu den eindrucksvollsten der irischen Sage und verbindet Ehre, Liebe und Gefolgschaft mit Gewalt, Reue und Bitternis.

Noch im letzten, tödlichen Gefecht verhielt sich Cú Chulainn vorbildlich – wehrhaft bis zum Ende. Mit Schild und Schwert an einen hohen Stein gebunden kämpfte er, bis die Kriegsgöttin Morrígan in Gestalt eines Raben seine Seele holte. Dass er tot war, erkannten die Widersacher erst, als der Vogel das Blut des Helden trank. Das Bild des Kriegers, der aufrecht bis zum Tode ausharrt, kursiert als Motiv irischer Kunst, mit der Bronzeskulptur im General Post Office von Dublin als bekanntestem Beispiel (S. 56): Es erinnert an den Osteraufstand von 1916, der letztlich 1922 zur Unabhängigkeit führte.

Der Hochkönig Brian Boru ziert den gleichnamigen Pub in Glasnevin.

Fianna-Zyklus

Aus diversen Prosatexten und Gedichten speist sich der ab dem 7. Jh. gesammelte und ergänzte Zyklus um den legendären Helden Fionn mac Cumhaill, der im 3. Jh. mit seiner Fianna genannten Gruppe von Kriegern Irland verteidigt haben soll. Fionns Vater Cumhall war Oberhaupt jener Truppe und des Bascna-Clans, bis sie in einer Schlacht dem Clan Morna unter Goll mac Morna unterlagen, der nun die Führerschaft der Fionna beanspruchte.

Cumhaills schwangere Gattin fürchtete daraufhin um ihr Leben und floh in die Wälder, wo sie heimlich Fionn gebar und aufzog. Fionn wurde zum Führer des Clans von Bascna, bestand drei Proben und erhielt Zutritt zum Hof des Hochkönigs von Tara. Als er dort mit seinem magischen Speer einen Kobold tötete, der Tara in Schrecken versetzt hatte, ernannte König Cormac ihn zum Oberhaupt der Fianna. Der erste ihrer Helden, der ihm auf Geheiß des Königs den Treueeid schwor, war niemand anderes als Goll mac Morna.

Eine zentrale Rolle im Fianna-Zyklus spielen Erzählungen um die *sidhe* genannten Feen, um Kampf, Liebe, Verrat, Ruhm und Ehre – darunter die Geburt von Fionns Sohn und die Liebesgeschichte von Diarmuid und Grainne. In späterer Zeit wurde der Zyklus auch nationalistisch vereinnahmt, wie bei der Gründung und den Umtrieben der Fenian-Bruderschaft im 19. Jh. oder der republikanischen Jugendorganisation Na Fianna Éireann (Krieger Irlands) im folgenden Jahrhundert.

Historischer Zyklus

Historie und Mythos sind verwoben in diesem Zyklus von Königssagen, die um teils legendäre Herrscher des 3. bis 11. Jhs. kreisen. Am Beginn stehen die Hochkönige von Irland aus frühen Manuskripten wie dem *Annual of the Four Masters* oder den *Annuals of Ulster*.

Der berühmteste jener Könige ist Brian Boru, der nach und nach fast ganz Irland unterwerfen konnte. Brian gehörte zum Stamm der Dál gCais, die entlang des Shannon in den heutigen Grafschaften Limerick und Clare siedelten – die Gegend ist noch heute als Königreich von Thomond bekannt. Nach umfangreichem Landgewinn durch Krieg und Allianzen wurde Brian schließlich Hochkönig von Irland und durch den Sieg über die Wikinger bei Clontarf 1014 sowie seine Ermordung unmittelbar nach der Schlacht gewissermaßen unsterblich.

Um Brian Boru bildeten sich zahlreiche Legenden, sein Grab in Armagh jedoch gilt seit Langem als »verloren«, und auch andere fassbare Relikte sucht man vergebens. Seine Harfe jedoch wird im Trinity College verwahrt ... allerdings wurde dieses Instrument erst Jahrhunderte nach Borus Tod gebaut.

Hunger, Home Rule und Hoffnung

Im 20. Jh. erkämpfte Irland seine autonome Selbstverwaltung zunächst als Freistaat – sechs Countys in Ulster sagten Nein, erklärten sich zum Kleinstaat Nordirland und blieben britisch.

Hunger war schon immer ein Thema im Lebensalltag armer Iren. Im 18. Jh. vervierfachte sich die Bevölkerung. Um 1845 wurde die Kraut- und Knollenfäule nach Irland eingeschleppt und zerstörte fast die gesamte Kartoffelernte, das Hauptnahrungsmittel. Die Große Hungersnot (1845–52) war eine furchtbare Katastrophe. Etwa eine Million Menschen starben, weitere 1,5 Millionen wanderten aus. Die Gutsherren profitierten vom Elend, bereicherten sich zum Spottpreis an riesigen Landflächen. Die Iren begannen ihre Unterdrücker offen zu hassen.

In Londonderry erinnern etliche Wandgemälde an die Zeit der »Troubles«.

Rebellion

Das 19. Jh. ist von Aufständen gegen die Briten geprägt, geführt durch Young Ireland oder die Irish Republican Brotherhood (IRB), von denen sich wiederum die »Invincibles« abspalteten. Ab den 1870er-Jahren bewirkte Charles Stewart Parnell, ein irischer Abgeordneter im Parlament von Westminster, dass der Kampf für ein irisches Parlament Gehör in London fand. Das dritte Home-Rule-Gesetz passierte erst 1914 das britische Parlament, trat aber nie in Kraft.

Der Osteraufstand

1916 rief der IRB zum Osteraufstand auf. Dieser wurde nach einer Woche niedergeschlagen. Als 15 Anführer erschossen wurden, begann sich die öffentliche Meinung gegen die Briten zu wenden. Bei den Wahlen 1918 siegte die republikanische Partei Sinn Féin, deren militärischer Flügel IRA anfing, für einen Krieg gegen Großbritannien zu rüsten.

Irische Teilung

Nach dem Unabhängigkeitskrieg (1919–21) kam es zum Waffenstillstand und schließlich zum Anglo-Irischen Vertrag. Sechs Countys (Down, Derry, Armagh, Antrim, Tyrone und Fermanagh) entschlossen sich für einen Verbleib im Vereinigten Königreich, die anderen 26 bildeten den Freistaat Irland. Radikale Elemente in der IRA erkannten diesen Vertrag nicht an, 1922/23 tobte der extrem brutale irische Bürgerkrieg.

Troubles

In den 1960er-Jahren entwickelte sich eine Bürgerrechtsbewegung in Nordirland, die offensichtliche Benachteiligungen anprangerte. Was friedlich begann, mündete in einen bewaffneten Konflikt, der in Irland fast beschönigend als »Troubles«, also »Probleme« bezeichnet wurde. Freischaren nationalistischer oder loyalistischer Gesinnung schossen oder bombten für ihre Sache, Polizei und die britische Armee mangelte es oft an Neutralität. Offiziell gab es 3532 Tote, die meisten gingen auf das Konto republikanischer Freischaren.

Friedensprozess

Nach fast dreißig Jahren wuchs die Einsicht, dass man mit der Waffe in der Hand langfristig immer nur an die Wand lief, aber nicht vorwärtskam – zähe Verhandlungen bahnten den Weg zum Frieden, 1998 wurde das Karfreitagsabkommen geschlossen. Unter Zugeständnissen aller Beteiligten wurde eine Demilitarisierung Nordirlands vereinbart, und eine vorgeschriebene Beteiligung aller wichtigen politischen Parteien an künftigen Regierungen. Und plötzlich saßen einst erbitterte Gegner lächelnd nebeneinander am Kabinettstisch. Zumindest im Großen und Ganzen – das Hickhack um oft obskure Details geht (unbewaffnet) weiter.

Irische Sprachlandschaften

Ortsnamen sind in Irland gewöhnlich anglisierte Versionen irischer Begriffe, mitunter auch Erbe der Wikinger oder anderen Ursprungs aus Mythologie, Religion und Geografie des Landes.

Bestimmte Vor- und Nachsilben findet man unterwegs in ganz Irland (siehe Kasten). Bereits aus dieser kurzen Liste gehen viele Bezüge zwischen einem Ort und seinem Namen hervor: Fängt er mit *ard* an, liegt er wahrscheinlich auf einer kleinen Anhöhe. In einer Stadt, deren Name mit *kil* beginnt, scharen sich die Häuser vermutlich um eine Kirche. Ist wiederum von *lough* die Rede, landet man gewöhnlich nahe am See, und bei *dun* vielleicht in den Ruinen einer alten Festung.

Der Name *Dublin* leitet sich ab vom irischen *Dubh Linn,* dem »Schwarzen Teich«, der einst neben Dublin Castle lag und um den seinerzeit die Wikinger segelten. Offizieller irischer Name der Hauptstadt ist Baile Átha Cliath, was etwa »Stadt an der Hürdenfurt« heißt.

Straßenschildergemisch auf Englisch und Irisch

Vor- und Nachsilben

ard	Erhebung
ath	Furt
bally	Stadt
beg	klein
carrick	Fels
dare/doire	Eiche
drum	Berggrat
dun	Festung
gal	Fremder
kil	Kirche
knock	Hügel
lough	See
more	groß
rath	Ringburg
ros	Wald/ Halbinsel
sean/shan	alt
slieve	Berg
tra	Strand
tully	Hügel-chen

Einige Beispiele

Ardpatrick:
Höhe des St. Patrick
Ballynahinch:
Stadt des Hinch
Carrickfergus:
Fels des Fergus
Dromore:
großer Gebirgszug
Dundrum:
Festung auf dem Grat
Kildare:
Kirche des Eichbaums
Loughbeg:
kleiner See
Rathcormack:
Festung des Cormack
Shankill:
alte Kirche
Tullamore:
großer Hügel

Der Name *Belfast* kommt hingegen vom irischen *Béal Feirste,* womit die Furt an der Mündung des Farset-Flusses gemeint ist (der heute unterirdisch verläuft).

Die Aussprache von Ortsnamen unterscheidet sich regional und manchmal hat der »englische« Name gar nichts mit dem irischen zu tun. In der Republik Irland sind Straßenschilder durchweg zweisprachig – wobei Schreibfehler vorkommen können.

Einige Ortsnamen beziehen sich direkt auf mythologische Orte und Gestalten:

Armagh: Ard-Macha, also die Anhöhe der Macha, bezieht sich auf die gleichnamige Gottheit (S. 18).
Brú na Bóinne: (im Englischen Newgrange) bedeutet Palast des Bóinne und war Heimstatt des Liebesgottes Aengus Óg (S. 78).
Eire: Der irische Landesname geht zurück auf das altirische Ériu, eine der drei Hauptgöttinnen.
Giant's Causeway: auf Gälisch Clochán an Aifir, bezeichnet eine von Fionn gebaute Furt (S. 21).
Tara: auf Irisch Teamhair, bezeichnet einen heiligen Platz – in der Mythologie stand auf dem Hügel von Tara der Sitz der alten Hochkönige (S. 92).

Dies soll als Einführung genügen – sicher stoßen Sie auf weitere Variationen und Ableitungen und bekommen Lust, den Reichtum der Sprache intensiver zu erkunden.

Die Feder und die Flöte

Irland ist berühmt für sein Guinness, seine Pferde, Nieselregen und gute Partys. Aber vor allem sticht die Genialität seiner Dichter und Musiker ins Auge. Wie durch ein Wunder bringt dieses kleine Volk mit Feder und Flöte Werke von Weltklasse hervor.

Selbst wenn Sie noch nie in Irland waren, haben Sie vielleicht schon über die Literatur mit Irland Bekanntschaft gemacht. So klein es ist, hat das Land doch enorm viele wunderbare Schriftsteller hervorgebracht, was niemandem entgeht, der gute Geschichten und scharfsinnige Erzählungen schätzt.

Allen voran ist James Joyce zu nennen, dessen (schwer verdaulicher) »Ulysses« (1922) zu den bedeutendsten Romanen der Weltliteratur zählt. Beim Lesen dieses ausufernden, aber nur von einem Tag handelnden Werkes fühlt man sich wie in einem Meer von Gedanken. »Ein Buch, dem wir alle zu Dank verpflichtet sind«, sagte T. S. Eliot, »und an dem keiner vorbeikommt.« Berühmt für seine scharfzüngigen Satiren war

Zehn irische Bestseller

»Die Asche meiner Mutter« von Frank McCourt
»Ulysses« von James Joyce
»Belfaster Auferstehung« von Eoin McNamee
»Elektrisches Licht« – Gedichte von Seamus Heaney
»Die Fünfzehnjährigen« von Edna O'Brien
»Das Bildnis des Dorian Gray« von Oscar Wilde
»Die Chroniken von Narnia« von C. S. Lewis
»Jeden Freitagabend« von Maeve Binchy
»Die Reise nach Dublin« von Frank O'Connor
»Die Commitments« von Roddy Doyle

James Joyce sitzt als Statue im Temple Bar Pub in Dublin (oben).

Davy Byrnes' Pub in der Duke Street in Dublin wurde durch James Joyce' Roman *Ulysses* berühmt (rechts).

Temple Bar pflegt seinen Ruf als Partyzone.

Jonathan Swift (1667–1745), der Dekan der St. Patrick's Cathedral in Dublin und Autor von »Gullivers Reisen«.

W. B. Yeats ist der bekannteste Dichter der »alten Schule«. Sein Werk ist durch die irische Folklore und die Landschaft von Sligo inspiriert. Er erhielt 1923 den Literaturnobelpreis, George Bernard Shaw (1856–1950) zwei Jahre später und Samuel Beckett (1906–89) im Jahr 1969. Der Dichter Patrick Kavanagh (1904–67) aus County Monaghan wird für seine flüssige und schöne Sprache gerühmt.

Seamus Heaney (1939–2013) aus Derry erhielt den Literaturnobelpreis 1995. Sein scheinbar unkomplizierter Stil entwickelt eine durchdringende und innovative Kraft. Flann O'Brien (1911–66) wurde durch seinen Roman »Auf Schwimmen-zwei-Vögel« bekannt. Das Genre der Kurzgeschichte ist das ideale Medium für die irische Erzähltradition – meisterhaft vertreten durch Autoren wie den Wirt John B. Keane aus Kerry (1928–2002) mit seinen Lokalhelden, Frank O'Connor (1903–66) mit seinen bissigen Fabeln über den Unabhängigkeitskrieg, Sean O'Faolain aus Cork (1900–91) oder Edna O'Brien (geb. 1930), die gefeierte Autorin aus Clare.

Fabulierende Barden

Fabulieren und Geschichten erzählen hat in Irland eine lange Tradition. Lange bevor man in Irland Papier und Tinte kannte, schmückten die Barden ihre Heldengeschichten über Fionn mac Cumhaill und Cú Chulainn aus und erklärten den Viehraub von Cooley mit den Ränken einer machtgierigen Königin Medb. Die Kultivierung der Erzählkunst ist vielleicht der Grund dafür, dass so viele Dramatiker von hier stammen: Denken Sie nur an Oscar Wilde, Richard Sheridan, J. M. Synge, Sean O'Casey, George Bernard Shaw und Samuel Beckett.

... und die Flöte

Irische Folkmusik besteht im Wesentlichen aus Volkstänzen. Beliebte Grundformen sind der *jig* und der *reel*, daneben gibt es langsamere Gesangsmelodien. Die irische Rahmentrommel *bodhrán* gibt Takt und Rhythmus vor und wird von Gitarre oder Banjo begleitet. Akkordeon, Melodion und Flöten tragen die Melodie, die Fiedel und der irische Dudelsack geben den Ton an. Die traditionelle Musik wird in Irland geschätzt und gepflegt, aber es werden auch Experimente mit Jazz und Rock oder klassische Arrangements für Klavier und Orchester gewagt. Die Musik hat genug eigene Kraft und Elastizität, um diese Auslegungen zu bestehen.

Die vielseitige Folkmusik war immer lebendig. Unbeeindruckt von den schwankenden Trends der Popmusik ist das große Repertoire der Folkmusik irlandweit stets mit Liebe und Respekt gespielt worden. Sie ist zeitlos, ohne eingerostet zu sein. Vorbilder wie Turlough O'Carolan, der blinde Harfenist des 18. Jhs., der Geiger Michael Coleman und der Melodionspieler Joe Cooley im 20. Jh. haben die heutige Generation der Musiker direkt beeinflusst. Die alten Melodien, die sie weitergaben, werden bei jedem Konzert zu neuem Leben erweckt.

Seit Jahren erfährt die traditionelle irische Musik durch Tanzspektakel wie Riverdance einen enormen Aufwind. Und Bands wie U2, Van Morrison, The Cranberries, The Pogues sowie Fontaines D.C. huldig(t)en ihren irischen Wurzeln.

Livemusik

In diesen bekannten Session-Pubs erhalten Sie die authentischsten Einblicke in die irische Musik:

Matt Molloy's, Westport, County Mayo:
Inhaber ist Molloy, der Flötist von The Chieftains, der auch oft selbst spielt (S. 149).

O'Connor's, Doolin, County Clare:
Alle Großen sind hier schon aufgetreten ... (S. 141).

O'Donoghue's, Dublin ... und hier auch (S. 65).

Irische Kunst

Irland ist für keltische Knoten-Ornamentik und illustrierte Handschriften berühmt, für Design und Schmuck. Die nationale Identität formen indes noch andere Künste, von Leinenweben und Spitzenklöppeln bis zur Landschaftsmalerei.

Das früheste Beispiel irischer Kunstfertigkeit fand sich im ältesten Bauwerk des Landes, Newgrange (S. 78): eine dreifache, in Stein gemeißelte Spirale aus dem Neolithikum, die als Symbol der heidnischen Göttin Brigid diente, aber später auch die christliche Dreieinigkeit verkörperte. Ab der Bronzezeit verwandelten sich die simplen Spiralen in komplexe Muster, heute unter dem Sammelbegriff »keltisch« bekannt.

Christliche Einflüsse

Seit der Christianisierung Irlands im 6. Jh. waren dort gebildete Mönche mit der Fertigung illustrierter Handschriften befasst, wie dem im Trinity College aufbewahrten Book of Kells (S. 44). Mit reichem ornamentalem und figurativem Schmuck – darunter Darstellungen von Tieren und Heiligen – gelten sie als kostbarster künstlerischer Ausdruck ihres Zeitalters. Die leuchtenden Farben für die Buchmalerei wurden aus Wurzeln, Beeren, Lapislazuli und sogar aus Insekten ferner Länder gewonnen. In jenen Manuskripten taucht auch das keltische Kreuz mit seinem typischen Ring auf. Im Zuge der Christianisierung entstanden einzigartige Hochkreuze im ganzen Land – zunächst aus Holz, später aus Granit, Kalk- oder Sandstein. Viele sind mit aufwendiger Ornamentik, nicht selten Bibelszenen, verziert, wie diejenigen in Clonmacnoise (Abb. S. 150) oder Moone und Castledermot im County Kildare (S. 91).

Irische Renaissance

Im 18./19. Jh. erlebte die irische Malerei nach Gründung der Royal Dublin Society, der Royal Irish Academy, der Royal Hibernian Academy und der Crawford Academy in Cork eine Blüte, mit Künstlern wie James Latham (1696–1747), dem Landschaftsmaler Robert Carver (1730–91) und auch James Brennan (1837–1907), der die Sorgen

In einer Biegung des Shannon taucht die einstige Klosteranlage von Clonmacnoise auf, bis heute eine nationale Wallfahrtsstätte der Iren (oben).

Der (moderne) Eingang in die Unterwelt von Newgrange (links).

des irischen Alltags einfing. Zahlreiche irische Kunstschaffende arbeiteten im Ausland, unter ihnen war der Maler John Butler Yeats (1839–1922), den es nach London zog, während John Lavery (1856–1941) und Walter Osborne (1859–1903) ins Frankreich der Impressionisten gingen.

Moderne irische Kunst

Um 1900 fegte das *Celtic Revival* wie ein Sturmwind durch Literatur und Kunst. Voll neuen Nationalstolzes malte Joseph Patrick Haverty (1794–1864) Werke wie den »Limerick Piper«, und der Bildhauer Henry Foley (1818–74) schuf das Standbild des »Befreiers« Daniel

So entstehen Liebesbezeugungen im Thomas Dillon Claddagh Gold Museum in Galway City (oben) …

Und so sieht das Ergebnis aus: ein echter Claddagh-Ring (links).

Die Tara-Brosche aus dem 8. Jh. dient irischen Juwelieren als Vorbild.

O'Connell in Dublin, wo 1864 die National Gallery of Ireland ihre Pforten öffnete. 1908 folgte die Hugh Lane Gallery, die sich als erste der modernen Kunst widmete und heute das rekonstruierte Atelier des Malers Francis Bacon (1909–92) beherbergt, eines eigenwilligen Nachfahren der Expressionisten und Surrealisten. Weitere bedeutende irische Künstler des 20. Jhs. waren Jack Butler Yeats (1871–1957) mit Panoramen irischen Lebens sowie der in Dublin geborene Louis le Brocquy (1916–2012), dessen Porträts in der National Gallery ausgestellt sind.

Knoten, Herzen und Kreuze

Kunsthandwerk ist in Irland allgegenwärtig und wird in unterschiedlichster Qualität angeboten. Die besten Stücke finden sich in Museen, wie die *Tara Brooch* (Foto oben) im National Museum of Ireland in Dublin (S. 48). Diese Rundbrosche aus Silber und Gold stammt wohl aus dem 8. Jh. und weist neben Einlagen aus Bernstein auch keltische Ornamentik auf. Im heutigen Kunstgewerbe trifft man sie überall auf Ringen, Armbändern, Anhängern und Kreuzen an. Der Künstler Jim Fitzpatrick vereint hingegen in seinen Motiven – erhältlich als Poster, Karten, Tischsets und Puzzles – Mythologie und Landschaften Irlands.

Beliebt sind auch Claddagh-Ringe, die ursprünglich aus dem gleichnamigen Dorf in Galway stammen und als Liebespfand verschenkt werden. Interessant ist das eigenwillige St. Brigid's Cross mit versetzten Armen: Hier verbindet sich das Gedenken an die Heilige mit vorchristlichen Mythen. Früher aus Binsen gewebt, gibt es die Kreuze nun auch aus Holz und Silber.

Die beste Adresse für Spitzen ist die Carrickmacross (Monaghan), wo diese textilen Kunstwerke aus Musselin in Feinarbeit geklöppelt werden (www.carrickmacrosslace.ie).

Stilvolles Ambiente: das »Café en Seine« in der Dawson Street

Dublin

Die Hauptstadt an der Liffey: uralt und unverschämt jung. Musik liegt hier vielen im Blut. Abends trifft man sich auf ein Bier im Lieblingspub.

Seiten 34–65

Erste Orientierung

Dublin gibt sich gerne als Metropole, ist aber eigentlich eine Ansammlung von Dörfern. Diese spannende Mischung verzaubert die Besucher. In den letzten Jahrzehnten hat Dublin das alte Arme-Leute-Image abgestreift und sich zu einer zielstrebigen, modernen Hauptstadt entwickelt – laut, fröhlich und multikulturell.

Dublin stapelt tief: Nur wenige Hochhausblocks überragen die historischen Gebäude – Trinity College, St. Patrick's und Christ Church Cathedral. Und die Stadt ist kompakt, man kann sie leicht an einem Tag durchwandern. In die Außenbezirke fahren die Dublin Area Rapid Transit und das Luas Rail System.

Südlich der Liffey erwarten Sie die Straßencafés und Modelokale von Temple Bar, einst verfallene Altbauten, heute Dublins Amüsierviertel, das rund um die Cow's Lane weiter wächst. Nur einen Steinwurf entfernt stehen um die Grünanlage St. Stephen's Green Irlands schönste georgianische Häuser. Nördlich des Flusses hat man den Baulöwen der 1960er- und 1970er-Jahre zu viel freie Hand gelassen, aber die O'Connell Street und die davon abgehende Henry Street wurden in den letzten Jahren verschönert und das Smithfield Village teuer saniert.

Im Westen gibt es Straßenmärkte und versteckte Pubs zu entdecken. Weiter im Nordosten dominieren grüne, ruhige Wohnviertel.

Dublin hat eine Menge zu bieten. Die literarischen Bezüge reichen von alten Meistern wie James Joyce und Sean O'Casey zu jungen Wilden wie Emma Donoghue.

Musik klingt durch das Herz der Stadt – vom Sound weltbekannter Bands wie U2 über gemütliche Kneipen-Folklore von Gruppen wie The Dubliners bis zu Gaelic Drill mit dem Rapper Selló.

Diese Stadt hat sich entwickelt, bietet Bandbreite statt Klischees.

TOP 10

5 ★★ Trinity College & Book of Kells

6 ★★ National Museum of Ireland

Nicht verpassen!

11 Christ Church Cathedral

12 Kilmainham Gaol

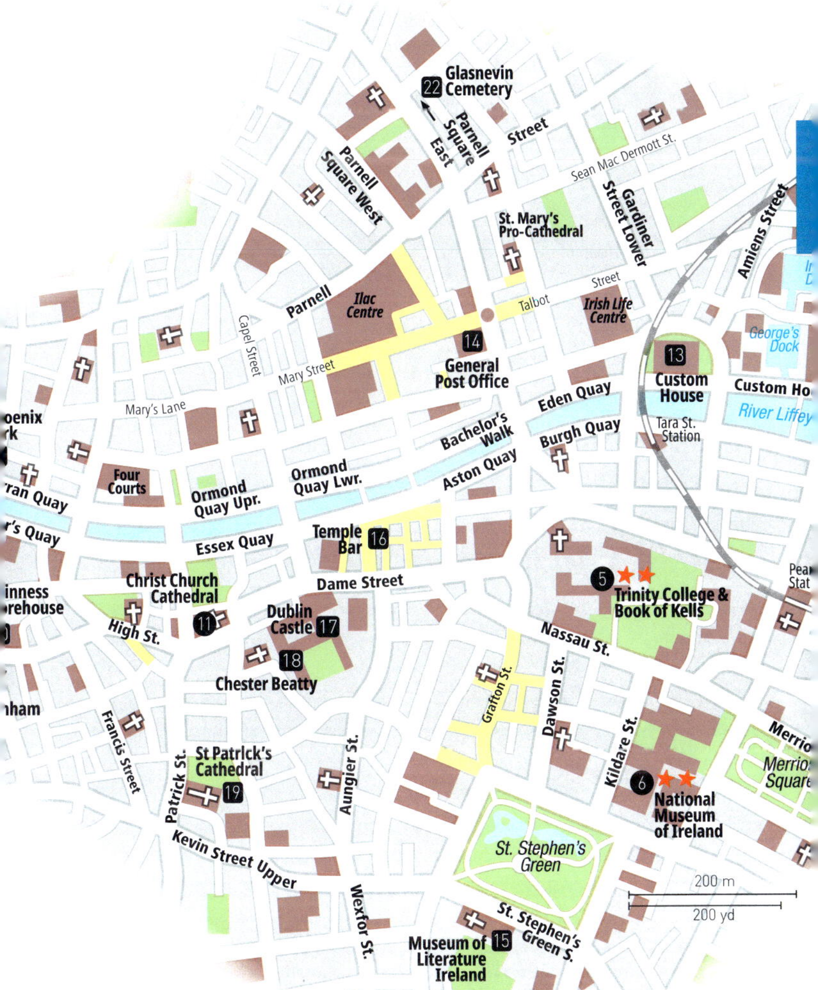

Nach Lust und Laune!

- 13 Custom House
- 14 General Post Office
- 15 Museum of Literature Ireland
- 16 Temple Bar
- 17 Dublin Castle
- 18 Chester Beatty
- 19 St. Patrick's Cathedral
- 20 Guinness Storehouse
- 21 Phoenix Park
- 22 Glasnevin Cemetery

Mein Tag mit Shopping

Dublin ist keine Einkaufsstadt – von wegen. So kreativ wie stilvoll, bodenständig wie exzentrisch: Hier können Sie sich individuell inspirieren lassen. Ein Shopping-Tag in der Stadt macht viel Spaß. Und wegen ihrer Kompaktheit ist die Tour durch Dublin auch leicht zu Fuß zu bewältigen.

9 Uhr: Irische Modemacher

Erst einmal einen Überblick verschaffen über das Angebot. Dafür gibt es keinen besseren Ort als Dublins Flaniermeile Grafton Street, wo sich ein Geschäft an das andere reiht, Straßenmusikanten Balladen vortragen, Studierende gegen Bares ein Gedicht rezitieren.

Alle Wege führen zu Brown Thomas (S. 64), Dublins exklusivstem Kaufhaus, 1849 gegründet. Hier ist jede Marke ein Statement für guten Geschmack. Foto gefällig? Die extravaganten Hüte von Philip Treacy passen zu Pferderennen, Gartenpartys und Hochzeiten – also praktisch immer. Und die Taschen der Dubliner Modeschöpferin Orla Kiel, zu erkennen an der stilisierten Blume, werden Ihnen unterwegs häufiger begegnen.

Nur eine Querstraße weiter gelangen Sie zu Project 51 (22 South William St.), einer tollen Design-Kooperative: Zwei Dutzend irische Modemacher und Schmuckdesigner haben sich zusammengeschlossen und präsentieren ihre Kollektionen.

11.30 Uhr: Etwas Kultur gefällig?

Jetzt auf der O'Connell Bridge die Liffey queren, in der Abbey Street

11.30 Uhr: Etwas Kultur gefällig?

14 Uhr: Café Deli im Dubliner Schlaraffenland

9 Uhr: Irische Modemacher

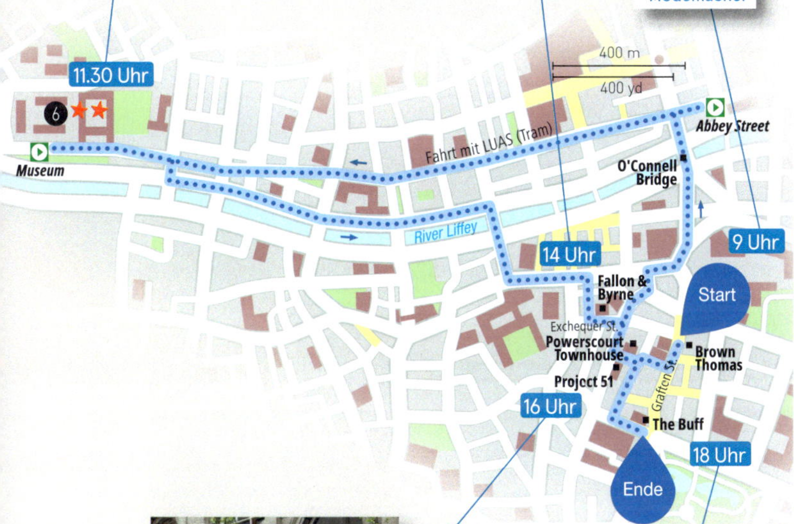

16 Uhr: Inspiration im georgianischen Stadthaus

Fast 18 Uhr: Jetzt am liebsten etwas Wellness

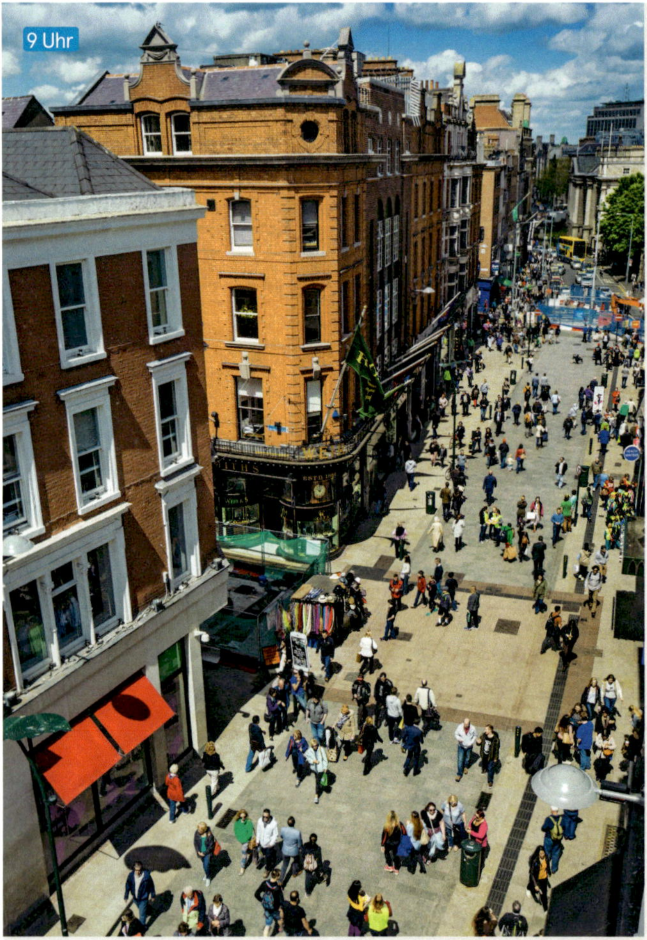

In der Grafton Street am Südufer der Liffey konzentrieren sich Dublins exklusive Shoppingadressen.

den LUAS nach Westen nehmen – zum ❻ ★★ National Museum of Decorative Arts & History (Collins Barracks, S. 50), das gegenüber der Guinness-Brauerei liegt. Dort fragen Sie nach der Dauerausstellung von Eileen Gray. Vielleicht kennen Sie ja bereits einen ihrer Entwürfe, z. B. den verstellbaren Beistelltisch aus Glas und Chrom, der den Namen E (für Eileen) 1027 trägt. Zu sehen sind inspirierende Entwürfe der irischen Stil-Ikone, die befreundet war mit Le Corbusier und Gerrit Rietveld, sowie einige ihrer privaten Möbel und skurrile Erinnerungs-

Im Café Deli bei Fallon & Byrne läuft einem das Wasser im Mund zusammen (oben).

Luxus-Shopping mit Portier: Kaufhaus Brown Thomas (rechts)

stücke. Eine Erkenntnis von Eileen Gray wird Sie beim anschließenden Bummel entlang der Liffey und Richtung Ha'penny Bridge begleiten: »Die Schönheit eines Löffels kann atemberaubend sein.« Hungrig? Dann geht es geradewegs in die Exchequer Street.

14 Uhr: Café Deli im Dubliner Schlaraffenland

Was die Food Halls von Harrods in London, ist Fallon & Byrne für die Dubliner: ein einziges kulinarisches Shopping-Paradies. Zwar ist den im Stil einer historischen Markthalle gestalteten Verkaufsräumen auch

Paradies der Foodies: die Markthalle von Fallon & Byrne

ein exquisites Restaurant angeschlossen, doch netter ist der Besuch im lebhaften Café Deli, wo Sie sich selbst aussuchen, was auf das Sodabrot oder das italienische Ciabatta soll: hauchdünne Scheiben von getrocknetem irischen Angus Beef, etwas Rucola und gehobelter Parmesan oder lieber Cashel Blue aus Tipperary?

Eine Sünde wert sind zum Espresso die handgemachten Pralinen und Toffees von Butlers Chocolates, einem alten irischen Familienunternehmen. Nett: Bestellt man einen Kaffee, darf man ein Probestückchen der süßen Versuchung wählen. Sie sind natürlich auch ein schönes Mitbringsel.

16 Uhr: Inspiration im georgianischen Stadthaus

Das soll ein Shopping Centre sein? Eine Freitreppe führt zum Eingang des dreistöckigen, palastartigen Powerscourt Townhouse (S. 65), eines architektonischen Juwels, das die Dubliner mit Konsumfreuden auf hohem Niveau erfreut.

Die extravaganten Mode- und Kunstgewerbeläden hätten Lady Powerscourt, der einstigen Besitzerin des palastartigen Anwesens, die keine Ausgaben scheute, nur zu gut gefallen. Entdecken Sie antike Silberbroschen, Spitzen vom laufenden Meter und irisches Leinen unter Stuckdecken. Es riecht nach Bohnerwachs und duftet sanft nach altmo-

16 Uhr

Freitreppe ins Shopping-Dorado: Powerscourt Townhouse

dischem Maiglöckchen-Parfum. Die Schultern werden schwer vom Gewicht der Tragetaschen?

Fast 18 Uhr: Jetzt am liebsten etwas Wellness

Wie gut, dass es in der Innenstadt The Buff gibt, ein vorzügliches Day Spa, das mit einer Vielzahl an entspannenden Treatments einen wieder fit macht für den Abend. Top sind die indischen Kopfmassagen.

Anschließend geht's erholt weiter: In der Nachbarschaft liegen nette Restaurants und Pubs.

Länge: ca. 5,5 km (inkl. LUAS)

Fallon & Byrne 234 B2 11 Exchequer St
www.fallonandbyrne.com
Mo–Sa 8–18, So 10.30–18 Uhr

The Buff 234 B2 52 King St. South
www.thebuffdayspa.com Mo–Mi 10–19, Do bis 21, Fr bis 20, Sa bis 18 Uhr

5 ★★ Trinity College & Book of Kells

Warum?	Um einen Blick auf Irlands Buch der Bücher zu werfen
Was?	Geradewegs in die Old Library
Wie lange?	Ein bis zwei Stündchen
Wann?	Natürlich am Vormittag, wenn Studierende und Professoren unterwegs sind
Was noch?	Die Ausstellung »Turning Darkness into Light«
Was nehme ich mit?	Die Erkenntnis, dass es auch im »Dunklen Mittelalter« sehr bunte Farben gab

Als schönstes Buch der Welt gerühmt, ist das Book of Kells der unangefochtene Star der Ausstellung im Trinity College, 1661 wurde es aus Kells hierher gebracht. Von Mönchen in lateinischer Schrift verfasst, sind diese 680 Seiten Schrift und Malerei virtuoser Ausdruck einer überreichen Fantasie, geistvollen Humors und genauer Naturbeobachtung, alles mit zartesten Strichen aufs Papier gebannt.

Die Mönche, die die vier Evangelien um das Jahr 800 kopierten und illustrierten, könnten im berühmten Kloster des hl. Kolumban auf der schottischen Insel Iona gearbeitet haben; gewiss gehörten sie zu den besten Buchillustratoren ihrer Zeit.

Trinity College

Das Book of Kells ist im Trinity College ausgestellt, selbst eine ehrwürdige irische Institution. Wenn Sie vom College Green in den niederen, unscheinbaren Türgang eintreten, schwindet das Dröhnen des Verkehrs allmählich unter dem Klang junger Stimmen. In diesen friedvollen Höfen, umgeben von altehrwürdiger Architektur aus vier Jahrhunderten, erleben Sie ein Dublin aus ruhigerer Zeit.

Nicht dass Trinity, Irlands führende Universität, heute ein verstaubter und verstockter Ort wäre. Das College wurde 1592 von Königin Elisabeth I. gegründet, »um Irland durch Gelehrsamkeit und die protestantische Religion zu zivilisie-

ren ... zwecks Besserung dieses barbarischen und groben Volkes«. Bis 1793 mussten Katholiken bei der Prüfung Treueeide zur englischen Krone schwören. Heute ist Trinity völlig gemischt, sowohl in religiöser als auch in geschlechtlicher Hinsicht (Frauen dürfen auch erst seit 1904 akademische Grade erwerben).

Sobald Sie durch den kleinen Rundbau in den Kopfsteinhof des Parliament Square getreten sind, zeigt sich zu Ihrer Linken die University Chapel, ein klassischer Bau aus dem Jahr 1798. Ihre Wände sind innen mit warmem, dunklem Holz verkleidet, ihre Decke mit grünem, grauem und pfirsichfarbenem Stuck verziert. Voraus steht ein hoher

Zu den interessantesten Bauten der alten Universität Trinity College gehört die bis 1743 erbaute Old Library, die fast drei Millionen Bücher ihr Eigen nennt.

viktorianischer Campanile; biegen Sie rechts ab, folgen Schildern zur Old Library (1733). Drinnen ordnet die hervorragende Ausstellung »Turning Darkness into Light« die Handschriften aus dem 9. Jh. historisch ein und bereitet so auf das Book of Kells vor.

Das Book of Kells

Das Buch liegt hinter Glas, die Schauseiten werden regelmäßig gewechselt. Die Mönche, die das Buch illustrierten, gebrauchten Kreide für Weiß, Blei für Rot, Lapislazuli für Blau. Blau gewann man außerdem aus Waid, Schwarz aus Kohle und Grün aus Kupfer-Grünspan. Im Laufe der Jahrhunderte sind die Farben auf den viel bewunderten Bildseiten verblichen, die weniger reich verzierten Manuskriptseiten sind hingegen erstaunlich weiß und gut erhalten.

Je länger man hinschaut, desto mehr Details nimmt man wahr: gütige Engel, frevelnde Sünder, reißende Tiere und Dämonen, dazu Blütenranken, wild-fantastische und rührend-häusliche Szenen, schließlich Rätsel der Geometrie, die sich zu Initialen formen. Neben dem Book of Kells

Der Campanile, der Glockenturm des Trinity College, ist ein Wahrzeichen der Stadt (links).

Eine vergrößerte Seite des Book of Kells zeigt dessen Detailreichtum (rechts).

sind abwechselnd weitere kostbare Evangelien-Manuskripte ausgestellt: das Book of Mulling und das Book of Dimma aus dem 8. Jh., das Book of Armagh von ca. 807 sowie das Book of Durrow, das bis auf etwa 675 zurückdatiert wird und damit das älteste erhaltene illustrierte Evangeliar überhaupt ist.

Long Room

Steigen Sie vom Ausstellungsraum des Book of Kells die Treppe zum kathedralenhaften Long Room hinauf. Der 64 m lange, wundervoll ausgestattete Saal beherbergt fast eine Viertelmillion alte Bücher unter seinem hölzernen Tonnengewölbe. Es wird hier eine von etwa zwölf erhaltenen Abschriften der ursprünglichen Proclamation of the Republic of Ireland gezeigt, deren klangvolle Prosa Pádraig Pearse am Ostermontag 1916 von den Stufen des Hauptpostamts verlas: »Wir rufen hiermit die Irische Republik als souveränen, unabhängigen Staat aus und verpfänden unser Leben und das unserer Waffenbrüder für die Sache ihrer Freiheit, ihres Wohles und der Erhöhung ihres Ansehens unter den Nationen.«

Bei Ihrem Gang durch den Long Room finden Sie in der Nähe rechts eine Harfe, wunderschön aus dunklem Weidenholz geschnitzt. Sie fällt nicht ins Auge, weil ihr altes Holz in den Brauntönen der Bücher ringsum verschwimmt. Die Radiokarbon-Datierung besagt, dass sie um 1400 gebaut wurde. Der Sage nach gehörte das Instrument einst Brian Boru, dem mächtigsten Hochkönig Irlands (S. 21), der am Karfreitag 1014 im Moment des Sieges über die Dänen bei der Schlacht von Clontarf ermordet wurde.

KLEINE PAUSE

Die **Nassau Street** südlich des Trinity College ist eine gute Einkaufs- und Fensterbummeladresse, im **Kilkenny Café** (15 Nassau St.) werden irische Leckereien serviert.

---

234 C3 ✉ College Green, Dublin 2
☎ 01 896 23 20 (Book of Kells)
🌐 www.tcd.ie
Old Library und Book of Kells: April–Sept. Mo–Sa 8.30–18.30, So 9.30–17, Okt.–März Mo–Sa 9.30–17, So 12–16.30 Uhr; über Weihnachten und Neujahr geschl.
18,50 €
alle stadtdurchquerenden Busse

6 ★★ National Museum of Ireland

Warum?	Dies ist schließlich die Schatzkammer der Insel
Was?	Schauen, staunen, an Workshops teilnehmen
Wie lange?	Zwei inspirierende Stunden lang
Wann?	An einem regnerischen Vormittag
Was noch?	Die Sammlung ägyptischer Exponate im Obergeschoss des Nationalmuseums können Sie sich sparen
Was nehme ich mit?	Eine leichte Gänsehaut nach dem Betrachten der Moorleichen

Das Nationalmuseum von Irland besteht aus vier Museen: drei in Dublin und einem im County Mayo (S. 149). Für die meisten Besucher steht der Name allerdings für das Haus im Zentrum von Dublin, das die wichtigsten historischen Sammlungen beherbergt. Im Museum für Archäologie befindet sich eine hervorragende Sammlung mit den schönsten antiken Goldschmiedearbeiten Europas; dazu kommen reich verzierte Kreuze und Becher aus frühchristlicher Zeit sowie Wikingerbögen.

Ein Großteil dieser Schätze – vieles wurde per Zufall aus einem Torfmoor oder Kartoffelacker gezogen – wird in der Treasury in der Großen Halle des Museums gezeigt. Doch gibt es dort zu viele Exponate zu bestaunen; konzentrieren Sie sich daher zuerst auf den Ardagh-Kelch, das Kreuz von Cong und die Ausstellung »Ór – Ireland's Gold«.

Silber, Gold und Bernstein

Der Ardagh Chalice, ein üppig verzierter, zweihenkeliger Silberkelch aus dem 8. Jh., wurde von einem Arbeiter namens Quinn beim Ausgraben von Kartoffeln gefunden, die er in der Ringfeste von Reerasta (nahe Ardagh, County Limerick) gepflanzt hatte. Quinn, der keine Ahnung von seinem Wert hatte, verkaufte den Kelch nebst einigen Spangen, einer Schale und anderen Objekten für ein paar Pfund einem Arzt des Ortes.

Mit solchen Holzschiffen eroberten die Wikinger vor tausend Jahren Europa (oben).

Die 20 m hohe Kuppel der Rotunde ist dem Pantheon in Rom nachempfunden (links).

Das Prozessionskreuz Cross of Cong wurde 1123 für Turlough O'Conor, König von Connacht, geschaffen; es ist mit Tierköpfen, perlenbesetztem Golddraht und eingelegter Emaille verziert. Die wunderbare Brosche von Tara, die Tara Brooch (Foto S. 33), funkelt nur so und ist mit feinsten Lineaturen überzogen. Sie dürfte das wohl schönste Beispiel irischer Juwelierkunst überhaupt sein.

Der Broighter Hoard, ausgegraben in County Derry in den 1890er-Jahren, ist die größte Sammlung von Goldobjekten der Treasury. Sie umfasst ein wundervolles Miniaturboot, kunstvoll gearbeitete Colliers und eine Kette aus hohlen Goldkugeln, die ein Halsband bilden – alles im 1. Jh. v. Chr. aus papierdünn geschlagenem Goldblech geformt. Bemerkenswert sind auch die Schreine aus Metall und Holz zur Aufbewahrung sakraler Objekte, darunter der Schrein der St. Patrick's Bell, mitsamt der großen eisernen Glocke aus der Zeit des Heiligen, dem frühen 5. Jh. Der Legende nach tat die Glocke des hl. Patrick einst gute Dienste, als ihr Besitzer den nach ihm benannten Berg bestieg. Von Dämonen angegriffen, warf Patrick die Glocke nach ihnen, worauf sie prompt verschwanden.

Schiffe aus der Wikingerzeit

Weitere Sehenswürdigkeiten im Nationalmuseum sind der große Einbaum von Lurgan, um 2400 v. Chr. geschaffen und lang genug, um die Bevölkerung eines ganzen Dorfes zu befördern; die Viking Gallery mit ihren Schwertern, Nadeln, Broschen und prächtigen Langbögen aus Eibenholz; und die im Moor gefundenen Leichen, die uns den alten Iren direkt ins Gesicht blicken lassen.

KLEINE PAUSE

Mischen Sie sich unter das flotte Völkchen im **Butler's Chocolate Café** (S. 63), dem richtigen Ort für einen Kaffee und einen Snack. Oder gönnen Sie sich eine ruhige Tasse Kaffee in einem Lieblingslokal der Dubliner, dem **Bewley's Café** (78 Grafton St.), und lassen Sie die Leute an sich vorbeiflanieren.

National Museum of Ireland – Archaeology
234 C1
Kildare St., Dublin 2
01 677 74 44
www.museum.ie
Di–Sa 10–17, So/Mo 13–17 Uhr
25, 33, 41, 51, 66, 67, 84
Pearse Station (DART) oder Dawson (LUAS) frei

National Museum of Ireland – Decorative Arts & History
234, westl. A4
Collins Barracks, Benburb St., Dublin 7 01 677 74 44
www.museum.ie
Di–Sa 10–17, So/Mo 13–17 Uhr
25, 25A, 66, 67, 90, 172
Heuston Station (Hauptstrecke); Museum (LUAS) frei

Mittelalterliches Kunsthandwerk: das sogenannte Schiff aus Broighter (links) – Irlands großes Museum lohnt den Besuch (unten).

⓫ Christ Church Cathedral

Warum?	Die Kathedrale ist seit dem Mittelalter Sitz der Erzbischöfe
Was?	Lassen Sie sich von der geballten Spiritualität berühren
Wann?	An einem hellen Tag, der Fenster wegen
Wie lange?	Ein, zwei Stunden
Was noch?	Steigen Sie hinunter in die gewaltige Krypta
Was nehme ich mit?	Die Erkenntnis, dass wilde Verfolgungsjagden manchmal tödlich enden können

Seit einem Jahrtausend kommen Gläubige in dieses ehrwürdige Gotteshaus. Im 11. Jh. ließ der Wikinger-König Sitric Seidenbart eine Holzkirche errichten, die 100 Jahre später auf Initiative des Normannen Strongbow, des zweiten Earl of Pembroke, einem Steinbau wich. Der Adlige liegt hier auch begraben.

Ganz sicher ist es allerdings nicht, dass Strongbow tatsächlich in diesem Sarkophag liegt: Nach der Zerstörung des Originals durch einen Dacheinsturz im 16. Jh. haben wir es hier mit einer Kopie zu tun. Ungeachtet zahlreicher Renovierungen und Umbauten (vor allem im 19. Jh.) bleibt die normannische Kirche der älteste Steinbau Dublins. Und es ist genügend alter Bestand vorhanden, um einen Eindruck von der ursprünglichen Großartigkeit dieser Kirche zu vermitteln.

Bemerkenswert sind die gotischen Steinmetzarbeiten (aus dem frühen 13. Jh.) im nördlichen Querschiff mit Darstellungen von Köpfen und Musikanten.

Strongbow benannte zwei Kapellen nach den Heiligen Edmund und Laud. Letztere Kapelle birgt als Reliquie das Herz des Erzbischofs Saint Laurence O'Toole (Lorcán Ua Tuathail), des zweiten Bauherrn der Kirche. Interessant ist auch der Chorraum mit dem Sitz des Erzbischofs und der Orgel sowie die Musikerecke, eine Hommage an den 1493 gegründeten Chor der Kathedrale.

Weitere mittelalterliche Bildhauerei, goldene Kruzifixe und andere Devotionalien finden sich ebenso in der Krypta. Genau wie zwei in Orgelpfeifen mumifizierte Tiere: Für Ratte wie Katze endete die Hatz einst tödlich.

KLEINE PAUSE
Sehr stimmungsvoll ist das **Café** im Untergeschoss.

Insel der Kontemplation

234 A2
Christchurch Place, Dublin 8
01 677 80 99
www.christchurchcathedral.ie

Mo, Fr/Sa 9.30–19, Di–Do 9.30–17.30, So 12.30–19 Uhr
13, 27, 40, 49, 77a, 123 Four Courts (LUAS) 10,50 €

⓬ Kilmainham Gaol

Warum?	Das bittere Gestern prägt das Empfinden der Gegenwart
Was?	Zellen und Hof, in dem Rebellen erschossen wurden
Wie lange?	Anderthalb Stunden
Wann?	Während der Wintermonate, wenn das Gefängnis eisig kalt ist
Was noch?	Blick auf die »Fünf Teufel«, fünf steinerne Schlangen über dem Eingangsportal: Symbol für die Bändigung des Unheils
Was nehme ich mit?	Leichtes Frösteln, ausgelöst durch die Atmosphäre, die über diesem Ort liegt

Das düstere Gefängnis ist ein nationales Monument, das den Schlüssel zu manchem Ereignis in der bewegten Geschichte Irlands birgt. Hier erlitten Rebellen – Wolfe Tones United Irishmen, »Young Irelanders«, Fenians, die Führer des Osteraufstands, aber auch regierungsfeindliche IRA-Leute im Bürgerkrieg – Kerker, Bestrafung und Tod.

Bereits der Eingang des Gefängnisses macht betroffen: eine mit einer Guckluke versehene Metalltür in einem Rahmen aus massivem Stein. Die (obligatorische) Tour konfrontiert Sie im Museum zunächst mit den elenden Lebensverhältnissen im Dublin von einst, Grund für Schulden und Kleinkriminalität, deretwegen die meisten Häftlinge hier einsaßen.

Diese Skulptur von Rowan Gillespie würdigt die Anführer des Osteraufstands von 1916.

Wie Sie hören werden, galt das Kilmainham Gaol zur Zeit seiner Eröffnung 1796 als Mustergefängnis. Durch dunkle Korridore geht es zu Treppen aus Granit, ausgehöhlt vom Tritt unzähliger Füße. Schuldner, Mörder, Schafdiebe, Vergewaltiger und Prostituierte büßten hier ihre Strafen ab. Opfer der Hungersnot ebenfalls, denn in den 1840er- und 1850er-Jahren war das Gefängnis mit Menschen überfüllt, denen nach geringfügigen Vergehen der »Genuss« der dünnen Gefängnissuppe zuteil wurde.

Sie werden die Zellen besichtigen, in denen Pádraig Pearse, Thomas Clarke, Joseph Plunkett, James Connolly und andere Führer des Osteraufstands von 1916 (S. 23) gefangen gehalten wurden, die Kapelle, in der man Plunkett und seine Braut Grace Gifford vermählte, und den mit einer hohen Mauer umgebenen Hof, in dem die Anführer wegen Verrats erschossen wurden. Der letzte prominente Häftling, bevor Kilmainham 1924 geschlossen wurde, war der vom Freistaat erneut inhaftierte Éamon de Valera – später Regierungschef und Präsident von Irland.

Kilmainham Gaol spiegelt den Schmerz der Gefangenen wider.

Eine beklemmende Atmosphäre, gewiss, wobei aber etwas untergeht, dass auch der Freistaat Irland hier im Bürgerkrieg republikanische Rebellen hinrichtete.

KLEINE PAUSE

Das hauseigene **Brambles Café** (www.brambles.ie) ist eine kleine Oase im schaurigen Ambiente.

ℹ

234 westl. A2
Inchicore Rd., Dublin 8, DO8 T2X5
01 453 59 84
www.kilmainhamgaolmuseum.ie
tägl. 9.30–17.15 Uhr (letzter Einlass: 16.15 Uhr), Juli/Aug. 9.30–17 Uhr; Online-Reservierung erforderlich
69, 79 (Aston Quay), 13, 40 (O'Connell St.); Sightseeing-Busse bis Kilmainham Gaol Heuston Station; Suir Road (LUAS)
8 €

Vermutlich das pompöseste Zollhaus der Welt: das Custom House am Ufer des River Liffey

Nach Lust und Laune!

13 Custom House

Dies ist der pompöseste Bau von Dublin, ein georgianisches Meisterwerk des englischen Architekten James Gandon (1743–1823), errichtet ab 1781 für £ 200 000. Sein Portikus und die langen Flügel erstrecken sich entlang des Nordufers, östlich der O'Connell Bridge. Republikaner zündeten es 1921 an; heute beherbergt das Gebäude Regierungsbeamte in zahlreichen Büros. Den besten Blick auf das Custom House hat man vom George's Quay am gegenüberliegenden Ufer.

234 C4
Custom House Quay, Dublin 21, Ausstellung tgl. 10–17.30 Uhr 6 €
stadtquerende Busse
Tara Street (DART), Busáras (LUAS)

14 General Post Office (GPO)

Das prachtvolle Gebäude, 1814 bis 1818 im Stil Palladios erbaut, ist fast alles, was von Dublins spätgeorgianischer Architektur im Stadtzentrum übrig geblieben ist. Das GPO war Hauptquartier der »Irish Volunteers« während des Osteraufstands von 1916 (S. 23): Von seinen Stufen verlas Pádraig Pearse die Proklamation der Irischen Republik. Infolge des Beschusses – die Granateneinschläge sind noch heute an den Säulen zu sehen – brannte das GPO aus. Nach seinem Wiederaufbau wurde es zu einem Symbol der irischen Unabhängigkeit.

234 B4
O'Connell St., Dublin 1
01 705 70 00 Mo–Sa 8–20 Uhr
stadtquerende Busse
Tara Street (DART); O'Connell-GPO (LUAS) frei

15 Museum of Literature Ireland

Eines von Dublins neueren Museen ist das faszinierende Museum of Literature Ireland, kurz MoLI genannt. Ein Highlight für Literaturfreunde eben, und denen hat die Insel ja traditionell viel zu bieten. Das

MoLI konzentriert sich weniger auf Artefakte, führt stattdessen an die Literaten und ihre Werke heran, zeigt Bandbreite statt nur »hoher Kunst«. Auch für Laien wird es so interessant.

234 C1 UCD Naughton Joyce Centre, 86 St. Stephen's Green, Dublin 2 www.moli.ie
tgl. 12–18 Uhr 7, 11, 15, 16, 39A, 44, 46A, 140, 145, 155 St. Stephen's Green (LUAS) 13,50 €

16 Temple Bar

In den 1980er-Jahren war Temple Bar ein heruntergekommener Stadtteil, der planiert werden sollte. Heute ist es Dublins lebendigstes Viertel. Schlendern Sie über das alte Kopfsteinpflaster. Dubliner Architekten haben die Dachhöhen verändert, Metallpaneele eingefügt und reichlich Glas und Keramik verwendet. Straßenlokale und schicke Restaurants liegen dicht beieinander,

Im Herzen von Temple Bar

Entertainment gibt es drinnen und draußen.

Das Herz von Temple Bar ist der Meeting House Square, häufig Schauplatz von Open-Air-Veranstaltungen. Um den Platz gruppieren sich das Irish Film Institute (www.ifi.ie) und das Filmarchiv, ein Kunstzentrum, das Photo Museum Ireland (www.photomuseumireland.ie, Eintritt frei) und das Kulturzentrum Ark mit Workshops und einem Programm für Kinder (www.ark.ie, Teilnahme ab 11,50 €, Reservierung empfohlen).

Besuchen Sie den Markt samstagvormittags, wenn die Dubliner im Freien frühstücken. Sind Sie auf der Suche nach Livemusik, versuchen Sie es in der Button Factory in der Curved Street (www.buttonfactory.ie).

Cow's Lane Market (Sa 10–17 Uhr) ist der ideale Ort für irische Designermode und Accessoires – von Kleidung über Taschen bis hin zu Schmuck und Wäsche. Aber Vorsicht: Temple Bar hat Probleme durch Diebstahl, Drogen und aggressive Mitmenschen, allzu sorglos sollten Sie sich nicht verhalten.

234 B3; südl. von Wellington und Aston Quay, am Südufer der Liffey

Temple Bar Cultural Information Centre
: 12 East Essex St., Dublin 2
www.templebar.ie
stadtquerende Busse Tara Street (DART), Trinity (LUAS)

17 Dublin Castle

Für große Ereignisse wie die Amtseinführung des Präsidenten dienen die prächtigen Staatsgemächer des Schlosses. Reste der ursprünglichen normannischen Burg sind noch vorhanden, doch vieles stammt aus dem 18. Jh. Sie können auch die Royal Chapel aus dem 19. Jh. mit feinen Holz- und Stuckarbeiten besichtigen.

234 A2 Dame St., Dublin 2
01 645 88 13
www.dublincastle.ie
Innenräume tgl. 9.45–17.45 Uhr
13, 27, 40, 49, 77A, 123 Tara Street (DART), Trinity (LUAS) 8 €

18 Chester Beatty

Eine der herausragenden privaten Sammlungen der Welt, ausgezeichnet nicht nur durch ihre Größe (über 22 000 Manuskripte, seltene Bücher und Miniaturen), sondern auch durch ihre Qualität. Sir Alfred Chester Beatty (1875–1968), ein kanadischer Millionär, der sein Vermögen im Bergbau erlangt hatte und ab 1953 in Dublin lebte, trug die Sammlung im Laufe seines Lebens zusammen.

Die japanischen Rollen aus dem frühen 17. bis späten 19. Jh. sind besonders wertvoll. Sie sind aus Papier und Seide, bis zu 25 m lang und zeigen überaus feine Darstellungen religiöser Mythen, romantischer Sagen und Schlachtenszenen. Andere exotische Kuriositäten sind Riechfläschchen aus Perlmutt, Jade oder Porzellan aus China sowie ein ägyptisches Liebesgedicht von 1160 v. Chr. – der Welt wichtigstes erhaltenes Beispiel antiker ägyptischer Dichtung.

Der Ehrenplatz gebührt aber der Manuskriptsammlung. Sie enthält etliche sehr alte und seltene Objekte, z. B. reich vergoldete und gepunzte antike Abschriften des Koran und eine mittelalterliche irakische Schrift über Ingenieurwesen, Artillerie und Astronomie.

Außerdem gibt es einige sehr frühe Bibelfragmente, so ein Lukas-Evangelium und ein Buch der Offenbarungen, beide aus dem 3. Jh., ferner die Paulus-Briefe, niedergeschrieben im 2. Jh., kaum mehr als 100 Jahre nach dem Tod des Heiligen, und Teile aus dem Vierten und Fünften Buch Mose, die sich etwa auf das Jahr 150 n. Chr. datieren lassen.

234 A2 Dublin Castle, Dublin 2
01 407 07 50
www.cbl.ie
Mo–Sa 9.45–17.30, Mi bis 20, So 12–17.30 Uhr, Nov.–Feb. Mo geschl.
13, 27, 40, 49, 77A, 123, 150, 151
Tara Street (DART), Trinity (LUAS)
frei; kostenlose Führung bei Online-Buchung Mi 17.30, Sa 11, So 15 Uhr

19 St. Patrick's Cathedral

Der schöne, großzügige Sakralbau mit dem 69 m hohen Turm geht zurück auf das Jahr 1191. Im Inneren befinden sich Gedenkstätten für den großen Schriftsteller und Sozialreformer Jonathan Swift

(1667–1735) und seine langjährige Gefährtin »Stella« (eigentlich Esther Johnson, 1681–1728).

Unter den beeindruckenden Grabmälern sticht jenes der Familie Boyle aus dem 17. Jh. hervor (zu der der Wissenschaftler Robert Boyle gehörte), neben jenen für irische Soldaten, die in Kriegen des Britischen Empire fielen.

234 A1
St. Patrick's Close, Dublin 8
01 453 94 72
www.stpatrickscathedral.ie
Mo–Fr 9.30–17, Sa 9–18, So 9–10.30, 13–14.30 und 16.30–18 Uhr
49, 49A, 50, 54A, 56A (Eden Quay), 65, 77, 77A 8 €

20 Guinness Storehouse

Irlands beliebtestes Gebräu ist bis heute in zahlreiche Gegenden der Welt vorgedrungen. So verwundert es nicht, dass viele Irland-Besucher unbedingt ein Guinness in dessen Heimat probieren wollen. Der Besuch der Ausstellung in der Brauerei lässt erahnen, was die Anziehungskraft des »schwarzen Goldes« ausmacht. Das Storehouse, das sich im Gebäude der ehemaligen Gärungsanlage befindet, erzählt die Geschichte von Arthur Guinness und seiner Brauerei.

Es erklärt den Herstellungsprozess und illustriert die Transportwege und unterhaltsamen Werbekampagnen. Am Ende der Tour genießen Sie in der Gravity Bar ein Pint. Dank der Panoramafenster bieten sich von hier spektakuläre Blicke über Dublin.

234 westl. A2
St. James's Gate, Dublin 8
01 408 48 00
www.guinness-storehouse.com
Mo–Fr 10–17, Sa 9.30–18, So 9.30–17 Uhr 51B, 78A (Aston Quay), 90 (Connolly Station), 123 (O'Connell and Dame Street) James's (LUAS) ab 26 €

Die »Gravity Bar« im Guinness Storehouse: Hier gibt es am Ende der Führung ein Pint.

21 Phoenix Park

Das 707 ha große Gelände (Haupteingang etwa 2 km westlich des Stadtzentrums) ist einer der größten Stadtparks Europas. Das riesige Areal wurde 1745 für die Öffentlichkeit freigegeben und umfasst Wälder, Seen, Hügel, Bäche und Gärten – und am Horizont sieht man die Wicklow Mountains.

Hier wohnt der irische Präsident im Áras an Uachtaráin, einem Herrenhaus (1751–59). Ferner befinden sich hier: Ashtown Castle (15. Jh.) mit dem Besucherzentrum des Parks, die Residenz des US-Botschafters (1776), Farmleigh House (18. Jh.) und der Zoo von Dublin, ein respektabler Tiergarten mit über 400 Tieren aus aller Welt. Die weiten Flächen des Parks sind auch ein prima Platz für ein Picknick.

234 westl. von A4
Haupteingang in der Parkgate St., gegenüber Heuston Station
www.phoenixpark.ie
Visitor Centre: tgl 9.30–18 Uhr, Jan–März Mo/Di geschl.; Zoo: Sommer tägl. 9–18 Uhr, Winter etwas kürzer
37, 38, 39, 70 nach Ashtown Gate; 25, 26 (Parkgate St.), 46A (North Circular Road) Heuston (LUAS)

Dublin Zoo
www.dublinzoo.ie
22,50 €, online 18,25 €

Im Phoenix Park wird auch Polo gespielt.

22 Glasnevin Cemetery

Der Friedhof öffnete 1832 auf Betreiben Daniel O'Connells (S. 107) als letzte Ruhestätte für Menschen aller Religionen. Heute ist er der größte Irlands und eine Art nationales Pantheon für Persönlichkeiten aus Kultur und Geschichte. Hier trifft man auf Politiker, Rebellen und Schriftsteller, darunter O'Connell selbst, Charles Stewart Parnell, Michael Collins, Éamon de Valera, James Larkin, die Countess Markievicz und Brendan Behan.

Die Tour dauert rund anderthalb Stunden. Das angeschlossene Museum zeigt Begräbnispraktiken und -rituale.

234 nördl. B5 11 Finglas Rd.
01 882 65 00 www.dctrust.ie
Mo–Fr 10–17, Sa/So 11–17 Uhr, Führungen 10.30, 11.30, 12.30, 13.30 Uhr
Museum und Führung 13 €, Museum 7 € 40, 140 (Cemetery), 4, 9, 83 (Botanic Garden)

Etwas außerhalb

Am besten nehmen Sie die DART, um die Vororte Dublins zu erkunden.

St. Anne's Park

Der stille Park ist ein Refugium im Nordosten der Stadt. Der schönste Fußweg durchläuft das ausgedehnte Waldland des Parks, vorbei an Figuren und Tempeln, und taucht an der Küstenstraße wieder auf.

229 E3
Killester oder Harmonstown (DART)

James Joyce Tower

Der Martello-Turm, der bei Sandycove übers Meer schaut, spielt in James Joyce' »Ulysses« eine Rolle. Heute ist darin eine Sammlung von Joyce-Andenken verwahrt. Vom Dach des Turms, einst zum Schutz vor einer möglichen Invasion Napoleons erbaut, bietet sich ein schönes Panorama.

229 E3
Sandycove Point, Sandycove
www.joycetower.ie
Di–So 10–18, Winter bis 16 Uhr
frei Sandycove (DART)

Dalkey

Die ruhige, kleine Stadt am Meer ist Seebad und Zuflucht für betuchte Pendler. Denen dürfte das Gewirr enger Gassen ein angenehmes Gefühl des »Aus-der-Welt-Seins« bescheren. Das Heritage Centre logiert in Goat Castle, einem befestigten Haus mitten im Ort, mit herrlichem Blick.

229 E3 Dalkey (DART)

Killiney

Killiney ist heute ein exklusives Refugium für Rockstars, Künstler und andere arrivierte Dubliner Aussteiger. Wenn Sie genügend Prominenz erspäht haben, erklimmen Sie am besten den Killiney Hill und genießen die prächtige Aussicht über Dublin Bay zum Howth Head.

229 E3 Killiney (DART)

Bray

Bray ist ein verblichenes Seebad mit guten Stränden und einer Vielzahl billiger und lauter Vergnügungen. Eventuell geben Sie einem Spaziergang über den (sicheren) Klippenpfad nach Greystones.

229 E3 Bray (DART)

Die Pyramide auf dem Killiney Hill

Wohin zum … Übernachten?

Preise für ein Doppelzimmer pro Nacht:
€ unter 70 Euro
€€ 70–130 Euro
€€€ über 130 Euro

Aberdeen Lodge €€€
Das restaurierte edwardianische Haus im Botschaftsviertel Dublins ist ein reizendes Privathotel. Die Zimmer sind groß.
234 südöstl. C1
53–55 Park Ave., Ballsbridge, Dublin 4
01 283 81 55
www.aberdeenlodgedublin.com

The Clarence €€€
Das Hotel an der Liffey aus dem 19. Jh., im Besitz von U2, bietet die Annehmlichkeiten, die viele hier absteigende Stars erwarten. Das schicke Restaurant steht hoch im Kurs, die Stout Bar ist *der* Treffpunkt in Temple Bar.
234 B3 6–8 Wellington Quay, Dublin 2
01 407 08 00 www.theclarence.ie

Harding €€–€€€
Dieses Hotel liegt nahe der Christ Church Cathedral und Sie sind schnell bei allen wichtigen Sehenswürdigkeiten. Auch Temple Bar liegt nur einen Steinwurf entfernt, dennoch ist die Lage ruhig. Das zweckmäßig gebaute Hotel ist attraktiv gestaltet und nett eingerichtet. Das Copper Alley Bistro-Restaurant bietet hervorragendes Frühstück und später am Tag Steaks, Fischgerichte und Vegetarisches.
234 A3
Copper Alley, Fishamble, Dublin 2
01 679 65 00 www.hardinghotel.ie

Kilronan House €€–€€€
Das Haus im georgianischen Stil bietet ein friedliches Ambiente. Von hier aus können Sie St. Stephen's Green und die National Concert Hall zu Fuß erreichen. Die Einrichtung (mit Kronleuchtern von Waterford!) ist elegant und originell. Die Zimmer bieten orthopädische Betten. Das Frühstücksangebot mit geräuchertem Lachs, Pfannkuchen,

St. Patrick's Day ist ein Familienfest.

frischem Obst und traditionellem irischen Frühstück ist etwas Besonderes.
234 südl. C1 70 Adelaide Rd., Dublin 2
01 475 52 66 www.kilronanhouse.com

Maldron Hotel Smithfield €€
Hotel im trendigen Smithfield, preiswert und günstig gelegen nahe Jameson Distillery und LUAS. Es verfügt über 92 geräumige, moderne Zimmer, manche mit raumhohen Fenstern zur Smithfield Plaza. Stir Bar & Café im Erdgeschoss, Tiefgarage.
234 westl. A4
Smithfield Market, Dublin 7
01 485 09 00
www.maldronhotelsmithfield.com

The Merrion €€€
Das Merrion, Inbegriff von entspanntem Luxus, besteht aus vier georgianischen Stadthäusern und bietet wunderschöne Zimmer im Stil des 18. Jhs. und opulente Marmorbäder. Im Erdgeschoss werden Sie im Winter von einladenden Torffeuern begrüßt und in der Spa- und Poolanlage können Sie entspannen. Das *Patrick Guilbaud* ist eines der besten Restaurants Dublins.
234 C1
Upper Merrion St., Dublin 2
01 603 06 00 www.merrionhotel.com

Schoolhouse Hotel €€–€€€
Das einstige Schulhaus hat 31 individuell gestaltete Zimmer. Im ehemaligen Refektorium erwartet den Gast moderne irische Küche

mit französischem Einschlag, in der Bar nehmen Einheimische gern einen Drink.
⊹ 234 östl. C1 ✉ 2–8 Northumberland Rd., Ballsbridge, Dublin 4
☎ 01 667 50 14 ⊕ www.schoolhouse.ie

Wohin zum … Essen und Trinken?

Preise für ein Essen (ohne Getränke und Service):

€	unter 12 Euro
€€	12–25 Euro
€€€	über 25 Euro

Butler's Chocolate Café €

An alle Schokoholiker – hier ist das Schokoladenparadies. Sie können die himmlische Schokolade heiß oder als Milchshake mit Sahne probieren, sie als Fondant auf der Zunge zergehen lassen oder an traumhaften Schokokuchen und Croissants knabbern. Zum Teufel mit der Waage!
⊹ 234 B2 ✉ 9 Chatham St., Dublin 2
☎ 01 671 05 99
⊕ www.butlerschocolates.com
◷ Mo–Fr 8–18, Sa 8.30–18, So 10–17.30 Uhr

Cornucopia €–€€

Das vegetarische Restaurant nahe der Grafton Street ist wegen seiner Atmosphäre und der einfallsreichen Küche beliebt, darunter sind gerösteter Kürbis mit Olivenpolenta und Romanesco-Sauce oder Moussaka mit Pilzen und Puy-Linsen. Die Brote und Kuchen sind selbst gebacken.
⊹ 234 B2 ✉ 19 Wicklow St., Dublin 2
☎ 01 677 75 83 ⊕ www.cornucopia.ie
◷ Mo–Mi 8–21, Do–Sa 8–21.30, So 9–21 Uhr

Govinda's €

Köstliche vegetarische Gerichte, aber keine Bekehrungsversuche: Im Erdgeschoss eines von der ISKCON (besser bekannt als »Hare-Krishna-Jünger«) betriebenen Zentrums mitten in Dublin isst man gut und günstig. Ambiente eher »Kantine«, aber die Freundlichkeit des Personals macht vieles wett.
⊹ 234 B2 ✉ 83 Middle Abbey St., Dublin 2
☎ 83 28 31 99 51
◷ Mo–Sa 12–21, So 12–19 Uhr

Etto €€–€€€

Das preisgekrönte Lokal mit Weinbar östlich des St. Stephen's Green tischt zum Lunch und Dinner italienische Klassiker in moderner Interpretation auf. Hochgelobt wegen der frischen Zutaten. Hohe Qualität, aber die Portionen tendieren in Richtung »überschaubar«.
⊹ 234 C1 ✉ 18 Merrion Row, Dublin 2
☎ 01 678 88 72 ⊕ www.etto.ie
◷ Do–Sa 12–14.30, Mo–Sa 17.30–22 Uhr

Gallagher's Boxty House €€–€€€

Sehr touristisch, trotzdem ideal zum Kennenlernen von *boxtys,* den irischen Kartoffelpfannkuchen. Als ausgefallenes Entree eignet sich einer davon mit Whiskey- und Senf-Dip, als Hauptgericht einer gefüllt mit Irish Stew, Huhn oder Rindfleisch. Wer sich keine Sorgen um seine Linie macht, greift zum Baileys-Cheesecake als Nachtisch.
⊹ 234 B3 ✉ 20–21 Temple Bar, Dublin 2
☎ 01 677 27 62
⊕ www.boxtyhouse.ie
◷ tgl. 10–22 Uhr

Grandstand Restaurant €€–€€€

Wenn Sie hervorragendes, fantasievoll zubereitetes Essen suchen, sind Sie hier genau richtig. Die Speisekarte ist vorwiegend irisch, oft werden Herkunftsregion und Produzenten der Zutaten genannt, etwa bei Ardsallagh-Ziegenkäse oder Nora Egan's Inch House Tipperary Black Pudding.
⊹ 234 südöstl. C1 ✉ Clayton Hotel, Merrion Rd., Ballsbridge, Dublin 4
☎ 01 668 11 11
⊕ www.claytonhotelballsbridge.com/dining
◷ Mo–Fr 7–21.30, Sa ab 7.30, So ab 8 Uhr

IFI Café Bar €–€€

Nicht nur für Film-Fans: Das stylishe Café-Restaurant im Gebäude des Irish Film Institute lädt zu Pasta und irischen Klassikern. Beim »Meal Deal« gibt es zum Essen auch noch ein Kinoticket. Top: der Sunday Brunch.
⊹ 234 B3
✉ 6 Eustace St., Temple Bar, Dublin 2

☎ 01 679 57 44 ⊕ www.ifi.ie/cafebar
◔ tägl. 12–21.30 Uhr

The Pig's Ear €€–€€€
Brown Irish Soda Bread mit frischer, leicht gesalzener Butter, als Hauptgang Kerry Lammpastete und als Dessert hausgemachtes Baileys-Karamelleis. Delicious!
✢ 234 C4 ✉ 4 Nassau St., Dublin 2
☎ 01 670 38 65 ⊕ www.thepigsear.ie
◔ Mi–Sa 17.30–21 Uhr

M J O'Neill's Pub & Kitchen €
O'Neill's ist durch die Uhr an der Außenfassade leicht zu finden – eine traditionelle Kneipe, die viel Fleisch bietet, z. B. einen ordentlichen Braten mit Kartoffeln und Gemüse, gefolgt von einem ebenso köstlichen wie kalorienhaltigen Pudding und einem Guinness.
✢ 234 B3 ✉ 2 Suffolk St., Dublin 2
☎ 01 679 36 56
⊕ www.oneillspubdublin.com
◔ Mo/Di 12–23.30, Mi/Do 10.30–23.30, Fr/Sa 10.30–1.30, So 8–23 Uhr

Queen of Tarts €–€€
Kleiner Teeladen mit nur wenigen Tischen, dafür aber sehr viel Herz. Die freundlichen Inhaber sorgen für ein gesundes Frühstück, eine willkommene Kaffeepause, ein fabelhaftes Mittagessen oder einen genussvollen Nachmittagstee. Zu ihren Spezialitäten gehören unter anderem schmackhafte Pasteten und riesige Sandwiches, gesunde Salate und leckere Kuchen, alles hausgemacht.
✢ 234 A3 ✉ Cows Lane, Dame St., Dublin 8
☎ 01 633 46 81 ⊕ www.queenoftarts.ie
◔ tgl. 8–17.30 Uhr

Silk Road Café €€
Das palästinensische Café in der Chester Beatty Library bietet reichlich Auswahl für Vegetarier und Gesundheitsbewusste, z. B. frische Falafel und Humus, knackige Salate, Pasta, vegetarische Moussaka oder Lasagne mit Fleischfüllung.
✢ 234 A2 ✉ Chester Beatty Library, Dublin Castle, Dame St., Dublin 2
☎ 01 407 07 70 ⊕ www.silkroadkitchen.ie
◔ Mo–Fr 10–16.30, Sa 11–16.30, So ab 13 Uhr

Ukiyo Bar €€€
Moderne asiatische Bar mit Tokio-Flair. Im ersten Stock gibt es auch ein gutes Restaurant mit japanischer und koreanischer Küche. Hier sitzen Sie an niedrigen Tischen, während Sie die Teller tauschen und ein bisschen experimentieren können.
✢ 234 B2 ✉ 7–9 Exchequer St., Dublin 2
☎ 01 633 40 71 ⊕ www.ukiyobar.com
◔ tägl. 12–24 Uhr

Wohin zum … Einkaufen?

Übliche Geschäftszeiten sind 9.30–17.30, donnerstags bis 20 Uhr. Viele Läden haben sonntags geöffnet (12–17/18 Uhr).

EINKAUFSVIERTEL

Das Haupteinkaufsviertel umspannt die Liffey von der verjüngten **Henry Street** und **O'Connell Street** (am Nordufer) zur exklusiveren **Grafton Street** (Südufer), in allen Gegenden dominieren bekannte Markennamen. Manche der Einkaufstempel gibt es nur in Dublin, nämlich **Arnotts** (Henry St.) und das ultraschicke **Brown Thomas**. (88–95 Grafton St.). Internationale Marken finden Sie im **Stephen's Green Centre** am Anfang der Grafton Street und im **Jervis Centre** in der Mary Street, aber es sind die Fach-

Teeladen mit Herz: »Queen of Tarts«

geschäfte und Boutiquen, die den Einkaufsspaß in Dublin ausmachen.

IRISCHE PRODUKTE

Um die Grafton Street finden Sie feine, kleine Läden. Entlang der Nassau Street reihen sich Geschäfte für irische Qualitätswaren wie Tweed, Wolle, Keramik und Kristall. Kilkenny ist bekannt für irische Mode in Naturstoffen (für Herren und Damen) sowie Silberschmuck, Töpferwaren und Kunsthandwerk. Das nahe Blarney Woollen Mills ist auf Tweed und Pullover spezialisiert. Kevin & Howlin verkauft handgewebte Tweed-Sakkos, Anzüge und Hüte für Herren, während das House of Ireland eine breite Auswahl typisch irischer Produkte wie Kristall, Tweeds und Wollsachen führt.

BÜCHER & ANTIQUITÄTEN

Bei Ulysses Rare Books (Duke St.) gibt es antiquarische Bücher, Books Upstairs (17 D'Olier St.) ist klein, aber exzellent, Hodges Figgis in der Dawson Street ist die größte Buchhandlung der Stadt. Antiquitätenliebhaber stöbern im ältesten Stadtviertel, The Liberties; Francis Street ist ein besonderer Schwerpunkt.

Das Powerscourt Townhouse Centre (South William St.), Stadtpalais aus dem 18. Jh. und heute elegantes Einkaufszentrum, hat eine Antiquitätengalerie, die vor allem Silber und Porzellan verkauft. Auch die HQ Gallery des Crafts Council of Ireland ist hier untergebracht. Wunderschöne Tücher und Webwaren von der Avoca Handweavers Mill (County Wicklow) finden Sie im Laden in der Suffolk Street.

MÄRKTE

Die besten Lebensmittel aus Eigenanbau gibt es jeden Samstag auf dem Temple Bar Market (Meeting House Sq.). Im Design Tower (Pearse St., www.thedesigntower.com) können Sie Kunsthandwerkern bei der Arbeit zuschauen und z. B. Seidenmalereien, Schmuck und Holzartikel kaufen. Beides aber nicht unbedingt billig.

Wohin zum … Ausgehen?

Theater-, Kino-, Musik- und Sporttermine stehen in der Tageszeitung »Irish Times« oder Sie informieren sich auf der Webseite www.dublin.ie. Auch das Visit Dublin Centre in der Palace Street (www.visitdublin.com) hilft gerne mit Tipps weiter.

BERÜHMTE PUBS

Im Doheny and Nesbitt (5 Lower Baggot St.) verkehren gelegentlich Politiker, während das entzückende Toner's (139 Lower Baggot St.) das einzige Pub sein soll, das W. B. Yeats je betreten hat. James Joyce ist nur einer der Literaten, die im The Duke (9 Duke St.) zu Gast waren.

Das Pub O'Donoghue's (15 Merrion Row) ist *der* Musikpub und auch The Brazen Head (20 Lower Bridge St.), Dublins ältestes Pub, serviert traditionelle Musik und gutes Essen. Im viktorianischen The Stag's Head (1 Dame Court) gibt es Do–Sa traditionelle Livemusik. Im The Auld Dubliner (Temple Bar) geht es abends bei Livemusik lebhaft zu.

Howth's Abbey Tavern (www.abbeytavern.ie) bietet traditionelle irische Musik als Bühnenshow. Eines haben alle die oben genannten gemeinsam: »Geheimtipps« sind sie nicht. Für authentisches Feeling sind eher Nachbarschaftspubs abseits der Stadtmitte zuständig.

NACHTCLUBS

Angesagte Bands sorgen im Sugar Club für Stimmung (Lower Leeson St., www.thesugarclub.com). In den Theatern Gaiety (South King St., www.gaietytheatre.ie) und 3Olympia (Dame St., www.3olympia.ie) finden Musikveranstaltungen statt. Die aktuellen Programme der National Concert Hall (Earlsfort Terrace, www.nch.ie) erfahren Sie über die Website oder aus Zeitungen und Programmheften.

Die viktorianische International Bar (21 Wicklow St., www.intercomedydublin.com) bietet Di–So abends Comedy.

Kilkenny besitzt einen gut erhaltenen und gepflegten altertümlichen Stadtkern mit hübschen Gässchen.

Ostirland

Altmodische Städtchen und Orte nahe den Wicklow Mountains bringen Sie zum Staunen. Hier finden Sie es, das romantische Irland.

Seiten 66–97

Erste Orientierung

Ostirland hat eigene Reize, mit denen es Ihren Besuch reichlich belohnen wird. Die Wicklow Mountains beginnen in den südlichen Vororten Dublins, es folgen eine schöne Steilküste und lange Sandstrände. Südlich davon bieten weite Flussmündungen paradiesische Verhältnisse für Vogel-Fans. Westlich von Dublin breiten sich die weiten, offenen Flächen des Curragh aus, während nördlich der Stadt grünes Farmland die Szenerie beherrscht.

Überall eingestreut finden sich die bedächtigen Kleinstädte und Dörfer, die für das ländliche Irland typisch sind. Hier läuft das Leben so ruhig wie sonst nur im Westen, aber mit viel weniger Touristen. Umso mehr Spielraum für jene also, die sich ein paar Tage in dieser stilleren Ecke Irlands gönnen!

Die Wicklow Mountains sind ideal zum Wandern, keineswegs alpin herausfordernd, und bergen Schmuckstücke wie Glendalough. In Waterford können Sie sich mit Kristall der weltberühmten Firma eindecken. Kilkenny ist vielleicht die reizvollste Stadt Irlands. Es gibt Pferde-Kuriosa im National Stud und im Pferdemuseum bei Kildare zu bestaunen – neben der Chance, Vollblüter über den Curragh galoppieren zu sehen. Reste einer ruhmreichen Kirchengeschichte spiegeln sich in den uralten Kirchen und Rundtürmen von Monasterboice und Rock of Cashel bis zu den reich verzierten Hochkreuzen von Moone und Castledermot.

Der erste Rang gebührt allerdings dem steinzeitlichen Ganggrab von Newgrange mit seinen rätselhaften Wirbelmustern. Eine unvergessliche Erfahrung ist es, durch den uralten Steinkorridor zur Kammer im Herzen des Grabhügels zu wandeln, wohin auch die Sonne zur Wintersonnenwende ihren Weg findet – so wie sie es schon vor 5000 Jahren getan haben soll, zur festlichen Illumination.

TOP 10

3 ★★ Kilkenny

7 ★★ Brú na Bóinne – Newgrange und Knowth

9 ★★ Rock of Cashel

Nicht verpassen!

23 Wicklow Mountains

Nach Lust und Laune!

24 Wicklow Coast

25 Wexford Wildfowl Reserve

26 Irish National Heritage Park

27 Waterford

28 Jerpoint Abbey

29 Dunmore Cave

30 Moone & Castledermot High Crosses

31 Irish National Stud, Irish Horse Museum & Japanese Gardens

32 Hill of Tara

33 Battle of the Boyne Visitor Centre

34 Monasterboice

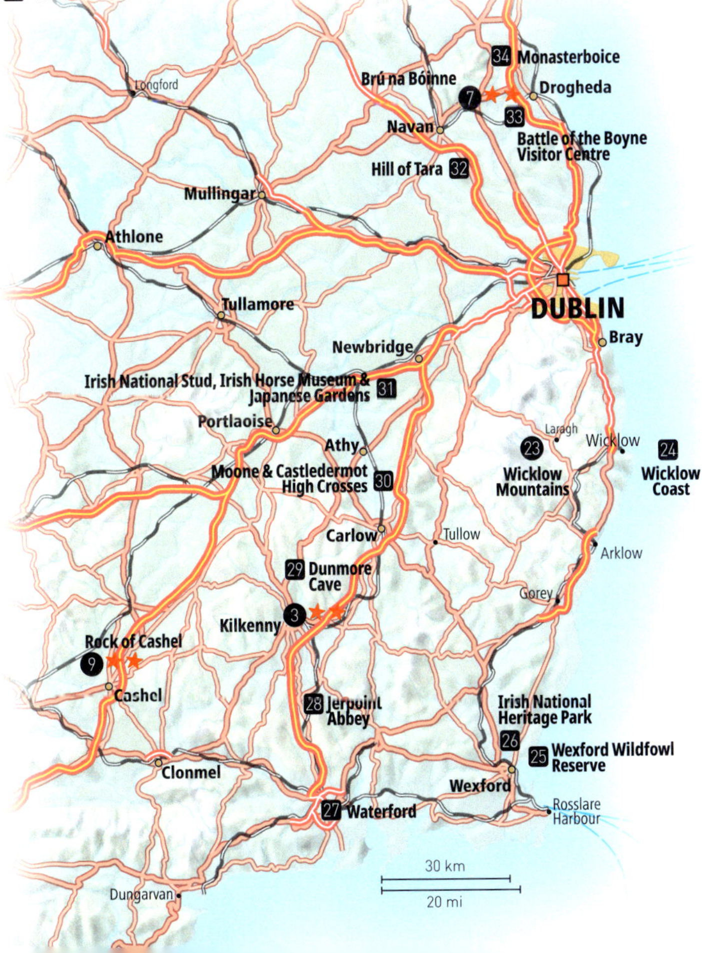

Mein Tag in den Gärten

Wie viele verschiedene Grüntöne kann es geben? Irlands viel besungene 40 Shades of Green sind auf jeden Fall in den Gärten Wicklows reichlich vertreten. Kein Wunder, denn wegen des Klimas gedeihen auch subtropische Pflanzen: Palmlilien und Phönixpalmen, Erdbeerbäume und Taglilien. Heute wird es bunt!

10 Uhr: Ungebändigte Natur

Schon am Eingang der Mount Usher Gardens (S. 75) fällt auf, dass hier etwas anders ist. Wiesen mit Löwenzahn und Gänseblümchen, wo sonst makelloser Rasen zu erwarten wäre. Tatsächlich: Ungebändigte Natur und Blumen in voller Farbenpracht nach den Ideen von William Robinson, einem grünen Revolutionär, der als viktorianischer Gartenjournalist naturnahe Gartengestaltung propagierte.

Mit Mount Usher schuf der damalige Besitzer Edward Walpole in den 1880er-Jahren an den Ufern des Flusses Vartry ein magisches Gartenparadies in den Farben der irischen Regenbögen. 5000 unterschiedliche Bäume, Sträucher und Blumen ließ die Familie in 100 Jahren pflanzen. Orangefarbene Tagetes neben lila Clematis, gelbe Königskerzen und Rosen in Purpur: Wo sonst strotzen die Rabatten so vor Farben? Fragen Sie am Eingang nach einem Plan und steuern Sie die diversen Gartenbereiche an.

12 Uhr: Etwas Shopping im Park darf sein

Inspiriert von so viel Schönheit und Natur stöbern Sie in den kleinen Courtyard Shops des Anwesens.

18.30 Uhr: Sláinte in Enniskerry

Fast 14 Uhr: Zeit für einen weiteren Garten

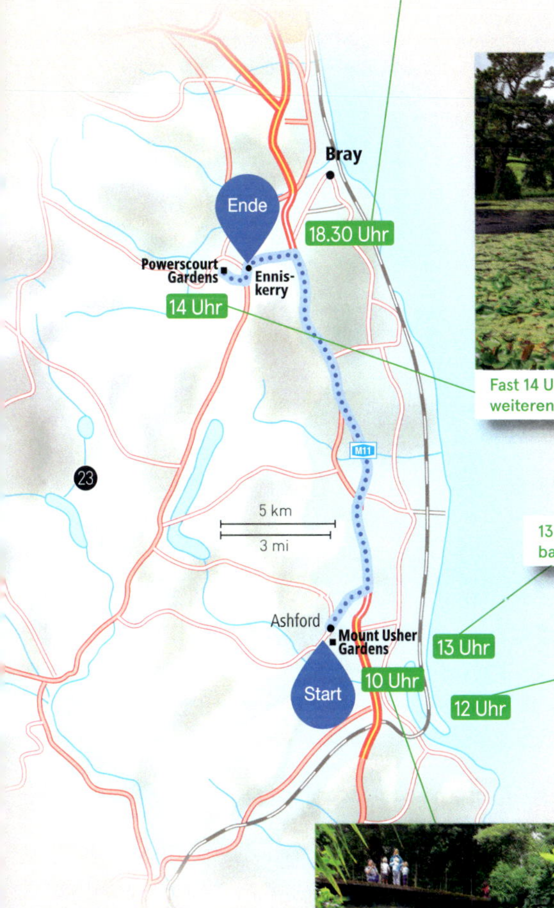

13 Uhr: Wiese oder Gartenbank – ganz nach Gusto

12 Uhr: Etwas Shopping im Park darf sein

10 Uhr: Ungebändigte Natur

Schon rein äußerlich sind die in Bonbonfarben gestrichenen Läden ein Genuss. Drinnen duftet es nach diversen Potpourris, natürlich parfümierten, getrockneten Blättern und Pflanzenteilen, die in kleinen Schalen ausliegen.

Bei Strawbridge (tgl. 10–17.30 Uhr) gibt es eine gute Auswahl an Accessoires, die Country Cottage Feeling in jede Stadtwohnung zaubern, auch individuell gefertigte Gartentagebücher *(garden journals)* liegen aus, in die man einträgt, welche Stauden wann gepflanzt wurden. Daneben finden Sie natürlich auch die Gartenbücher von Robinson, unter anderem sein Standardwerk »The Wild Garden«.

13 Uhr: Wiese oder Gartenbank – ganz nach Gusto

Der Magen macht sich bemerkbar? Das trifft sich gut: Nebenan liegt der entzückende Bakery Food Market. So möchte man immer einkau-

Im »Avoca of Powerscourt«, Store, Food Market & Café zugleich, ist Gelegenheit zum Shoppen (unten).

Bücherfreunde kommen bei Strawbridge in den Courtyard Shops von Mount Usher zu ihrem Recht (oben).

Der Mount Usher Garden ist ein anziehendes Gartenparadies und am schönsten im Herbst; denn dann leuchtet er in den Farben der irischen Regenbögen (links).

fen gehen. Die Jacke als Unterlage reicht aus für den Rasen und für ein improvisiertes Picknick: Quinoa-Salat mit Schafskäse vom lokalen Bauern, ein Häppchen ofenwarmer Gemüse-Pie und als Dessert frische Himbeeren aus den Usher Gardens. Mmh, besser kann es nicht schmecken. Alternativ gibt's dort auch ein Avoca Café (tgl. 9–16 Uhr).

Fast 14 Uhr: Zeit für einen weiteren Garten

Kaum länger als eine halbe Stunde ist es mit dem Wagen nach Powerscourt, laut *National Geographic* einer der zehn schönsten Gärten der Welt. Übertreibung? Wohl kaum, denn auf dem 19 ha großen Estate läuft die Gartenkunst zu Hochform auf.

Wohl auch deshalb, weil die umgebenden ㉓ Wicklow Mountains (S. 88) als atemberaubende Kulisse in dieses gärtnerische Gesamtkunstwerk integriert wurden. Formaler, Rosen- oder japanischer Garten? Steigen Sie hinab ins Tower Valley und anschließend auf den Pepperpot, ein Türmchen, das wie eine Pfeffermühle gestaltet wurde.

Behaglich-familiär wird es im Walled Garden mit dem prächtigen

Spalierobst, alten Apfel- und Birnensorten, dazwischen ein Denkmal für Julia, der siebten Viscountess of Powerscourt, umgeben von üppigen Dahlien und Rosen.

Unterhalb des Triton-Sees, flankiert von zwei weißen geflügelten Pferden (also Dramatik pur!), folgt dann der Pets Cemetery, der alte Tierfriedhof. Verwitterte Grabsteine erinnern an Sun Yat Sen, ein treues Hündchen, und an Eugenie, eine Jersey-Kuh, die zwölf Kälbern das Leben schenkte und ungezählte Liter Milch produzierte. Noch Puste?

Eine herrliche, 6 km lange Wanderung führt zum zweithöchsten Wasserfall Irlands, vorbei an kleinen Bachläufen, Bambushainen und versteckten Grotten. Oder, wenn Sie schon darben, doch eine Tasse Tee im Avoca Café (tgl. bis 16.30 Uhr).

Und wenn man Sie endgültig aus dem Powerscourt Estate hinauskomplimentiert, gondeln sie einfach gemütlich nach Enniskerry.

18.30 Uhr: Sláinte in Enniskerry

Enniskerry gehört zu Powerscout, und vice versa – der Ort ist ein typisches »Estate Village«, in dem Viscount Powerscourt ab 1840 seine Bediensteten leben ließ. In romantisierenden Neo-Tudor-Gebäuden, die heute noch den Ortskern bilden. Durch die Straßen schlendern lohnt, schon Laurence Olivier filmte hier Teile seines »Henry V.«

In Powerscourt läuft die Gartenkunst zur Hochform auf (links und oben).

Ein erhabenes Gefühl stellt sich im Terrassencafé von Powerscourt House ein (rechts).

und auch die britische Familienserie »Ballykissangel« war zu Gast hier. Alles in allem das ideale Örtchen, um den Abend zu genießen.

Gönnen Sie sich in einem der Pubs (z. B. Mac's im Powerscourt Arms Country House, www.powerscourtarms.com) einen Happen. Urgemütlich ist auch das Enniskerry Inn (www.theenniskerryinn.ie), das trotz kürzlicher Renovierung des Charme des alten Landpubs erhalten konnte. Und wenn es spät wird ... in beiden Häusern können Sie auch übernachten. *Sláinte!*

i

Länge: 30 km

Mount Usher Gardens
229 E2 Ashford
www.mountushergardens.ie
tgl. 10–18 Uhr 7,50 €

Powerscourt Gardens
229 E3 Enniskerry
www.powerscourt.com tgl. 9.30–17.30 Uhr, bzw. bis zur Dämmerung im Winter
12,50 €, Wasserfall 7 €

③ ★★ Kilkenny

Warum?	Um ein Bilderbuch-Städtchen zu besuchen, in dem es spukt
Was?	Vom Kilkenny Castle hinuntersteigen zum Ufer der Nore
Wann?	Zu jeder Zeit
Wie lange?	Mindestens einen halben Tag
Was noch?	Das Brunnenhaus gleich hinter der Kirche
Was nehme ich mit?	Handgemachtes und/oder Extravagantes aus dem Kilkenny Design Centre

Krieg und raue Zeiten haben die mittelalterlich wirkende Stadt regelmäßig heimgesucht – und ihr eine imposante Burg beschert. Irlands zweitälteste Kathedrale und ein Labyrinth von steilen Nebenstraßen mit altertümlichen Häusern tragen zum Reiz bei.

Gönnen Sie sich Pat Tynans amüsanten, etwa einstündigen Rundgang durch die Stadt (www.kilkennywalkingtours.ie). Kilkenny Castle wurde 1260 erbaut, aber in viktorianischer Zeit renoviert. Am anderen Ende der High Street liegt St. Canice's Cathedral: ein eher geduckt wirkendes Bauwerk aus dem 13. Jh. Das Kirchenschiff ist voll schöner, alter Statuen und Grabplatten – eine Schatzkammer der Steinmetzkunst. Steigen Sie auf den Rundturm neben der Kathedrale (9. Jh.) und gehen Sie dann zu dem kleinen Brunnenhaus in Kenny's Well Road gleich hinter der Kirche – St. Canice's Holy Well, der Brunnen stammt aus dem 6. Jh. n. Chr.

Kilkenny Castle ist eines der am längsten bewohnten Gebäude der Insel.

ℹ

232 C5 · www.visitkilkenny.ie

Kilkenny Castle
www.kilkennycastle.ie
April–Sept. 9.15–17.30, Okt.–März 9.30–17 Uhr · 8 €

St. Canice's Cathedral
Coach Rd.
www.stcanicescathedral.ie
Mo–Sa 9–18, So 13–18 Uhr
Kathedrale 6 €, Rundturm 5,50 €, Kombiticket 10 €

Still ruht der See

Sparen Sie sich das Frühstück, genießen Sie stattdessen Glendalough (S. 89) bei oder kurz nach Sonnenaufgang. Wenn noch keine Touristenbusse anrollen. Spazieren Sie rund um die Klosteranlage an den Seen, beobachten Sie das wechselnde Licht der Morgensonne. Am besten im Herbst oder Winter, wenn von der Seeoberfläche Nebel die Hänge hinauf ziehen, und man hinter jeder Ecke den heiligen Kevin persönlich erwartet. Lauschen Sie der Natur, genießen Sie die hier seltene Einsamkeit.

7 ★★ Brú na Bóinne – Newgrange und Knowth

Warum?	Irlands ältestes Bauwerk, älter als die Pyramiden von Gizeh
Was?	Sonnenstrahlen, die das Innere einer steinzeitlichen Grabkammer erleuchten
Wann?	Mit viel Glück zwischen dem 18. und 23. Dezember
Wie lange?	Mindestens drei Stunden
Was nehme ich mit?	Hoffentlich keine Beule am Kopf, den Hinweis »Ducken!« also wirklich ernst nehmen …

Brú na Bóinne (»Palast des Boyne«), ein Streifen grünes Farmland, das dem Fluss Boyne auf rund 15 km folgt, birgt eine der größten Ballungen antiker Kulturdenkmäler Europas – Steinreihen, Forts, Ringwälle, Monolithen und eine einmalige Ansammlung jungsteinzeitlicher Ganggräber: Dowth, Knowth und Newgrange.

Newgrange existierte bereits 500 Jahre, als sich die Ägypter daran machten, Pyramiden zu bauen, und es wurde schon 1000 Jahre genutzt, als die Arbeiten an Stonehenge begannen. Ihre Fantasie wird sich mächtig rühren, wenn Sie die gewaltigen Grabstätten besichtigen, in die wunderschöne, geheimnisvolle Muster und Symbole geritzt sind.

Die Ausstellung zur Einführung vermittelt eine gute Vorstellung von dem Wenigen, das wir über die Zeit bis 3000 v. Chr. wissen, einer Zeit, als große Gräber wie diese in ganz Europa gebaut wurden. Auch werden Sie hier bestens auf die Monumente von Brú na Bóinne vorbereitet, vor allem auf die beiden großen Ganggräber von Newgrange und Knowth.

Die Entstehung von Newgrange

Newgrange wurde zwischen 3300 und 2900 v. Chr. errichtet – ein mächtiger Hügel von 85 m Durchmesser und 12 m Höhe, gesäumt von fast 100 riesigen Monolithen. Mindestens 200 000 t Material wurden verbaut, neben Erde auch Steine jeder Größe, die transportiert und angeordnet werden mussten. Ein 19 m langer Gang, gestützt und gedeckt von weiteren riesigen Steinplatten, wurde im Hügel gleich mit eingebaut, am Ende mündet er kleeblattförmig in drei Kammern. Man schätzt, dass die alten Iren 40 bis 80 Jahre gebraucht haben, um Newgrange zu bauen – ein Projekt über drei bis fünf Generationen.

1699 war der Hügel so Teil der Landschaft geworden, dass man ihn als Baumaterial abtragen wollte. Erst um 1970 wurde er archäologisch erforscht und rekonstruiert. Den Eingang markiert ein »Schwellenstein«, ein großer, verwitterter, auf der Seite liegender Brocken, der mit spiral- und karoförmigen Lineaturen verziert ist. Über dem Zugang ist eine Aussparung. Durch diese Öffnung dringen zur Wintersonnenwende die Strahlen der aufgehenden Sonne ins Innere des Grabes.

Im Inneren des Grabhügels

Ins Innere geht es bei einer Führung durch den dunklen, niedrigen Gang. Spiralmuster bedecken die Wände

Newgrange: majestätischer Grabhügel und UNESCO-Weltkulturerbe

allenthalben, schön beleuchtet mit elektrischem Licht. Am Ende des Gangs gelangen Sie in die zentrale Kammer. Das Gewölbe ist so gekonnt aus ineinander verzahnten Steinplatten gefügt, dass es seit über 5000 Jahren die Feuchtigkeit von der Kammer ferngehalten hat. Die drei Nischen, zu denen sich die zentrale Kammer hin öffnet, enthalten große, flache Schalen aus Sandstein: Gefäße, die einst auch Asche von Toten enthielten.

Die Rätsel des Zwecks

Höhepunkt der Führung sind absolute Dunkelheit, und dann die elektrische Simulation der Sonnenwende. Um den 21. Dezember, dem kürzesten Tag des Jahres, fällt das Licht der aufgehenden Sonne durch die Aussparung über dem Eingang, kriecht am Dach entlang und durch die zentrale Kammer, bis es die hintere Wand erreicht hat. Dort verweilt es kurz, und zieht sich dann zurück. Alle, die dieses Phänomen »live« sehen möchten, müssen sich bei einer Verlosung registrieren!

In Newgrange fand man bei Ausgrabungen Überreste von wenigen menschlichen Körpern. Vielleicht wurden die sterblichen Überreste in regelmäßigen Abständen aus der Kammer entfernt. Was war der Grund dafür? Warum hat man so lange und schwer an einer Anlage gearbeitet, die für einen Augenblick die Wintersonne einfängt? Haben die alten Iren einst alljährlich einen mittwinterlichen »Kehraus« der Asche Verstorbener betrieben? Glaubten sie, der weichende Lichtstrahl habe die Geister der Toten mit sich genommen, um so vielleicht die Rückkehr der Frühlingssonne im nächsten Jahr zu sichern? Oder gibt es doch eine ganz andere Erklärung?

Der riesige grasbedeckte Grabhügel von Knowth hat seine Geheimnisse bis heute weitgehend für sich behalten.

Der Knowth Timber Circle, vielleicht ein Platz für Tieropfer, wurde anhand der prähistorischen Pfostenlöcher rekonstruiert.

Spiralen und Wellen

Der Nachbarhügel von Newgrange, Knowth, ist von mindestens 17 kleineren Ganggräbern umgeben. Knowth hat zwei lange Gänge, die von Osten bzw. Westen hereinführen; es ist reich mit Spiral- und Linienmustern geschmückt. Wirbel, Zickzack- und Parallellinien zieren die großen Steine, was darauf hinweist, dass die Bedeutung kultische Bedeutung hoch war. Später wurde der Hügel allerdings auch als Festung genutzt.

KLEINE PAUSE

Daly's Inn (Donore, www.dalysofdonore.com) ist von Newgrange aus schnell zu erreichen (ca. 2 km östlich). Der traditionsreiche Pub, der zu einem gepflegten Hotel gehört, ist ideal für einen Irish Coffee oder die Tasse Tee zwischendurch.

---

229 D4

Brú na Bóinne Visitor Centre (Newgrange und Knowth)
11 km südwestl. von Drogheda, County Meath
www.heritageireland.ie

Besucherzentrum: Jan. 9–16.15, Feb.–April 9.30–16.45, Mai–Aug. 9–17.45, Sept. 9–17.15, Okt.–Dez. 9–16.15 Uhr; Newgrange ganzjährig, Knowth Nov.–Feb. geschl.
ab 10 €, Tickets sind begrenzt, Onlinebuchung nötig

Im Reich der Toten

Rund 150 prähistorische Ganggräber sind in Irland derzeit bekannt. Das berühmteste ist der über 5000 Jahre Hügel von Newgrange im Boyne-Tal. Die bis 1975 umfassend restaurierte Anlage präsentiert sich so, wie sie einst ausgesehen haben könnte. Der Hügel ist 12 m hoch und wird von weißen, schimmernden Quarzsteinen eingefasst.

1 Eingang: Im Südosten führt der Eingang in einen nur 1 m breiten, 19 m langen Gang. Er wird gebildet von 43 zwischen 1,50 und 2,40 m hohen, aufrecht stehenden Steinen und darüber liegenden Decksteinen. Ein Geheimnis von Newgrange wurde 1969 entdeckt: Durch die Aussparung in der »Box« über dem Eingangsportal gelangt zur Wintersonnenwende Licht in die Grabkammer.

2 Künstlicher Hügel: Brú na Bóinne gilt in vielen irischen Sagen als Heimstatt der Götter, Feen und Helden. Wenn zur Wintersonnenwende einige Minuten lang Licht in die Kammer scheint, werden die Verzierungen der Steine sichtbar, das Licht dringt bis in den hintersten Winkel. Das beeindruckende Schau-

spiel wird bei Führungen mittels einer künstlichen Lichtquelle nachgestellt.

3 Gewölbe: Die großartige Hauptkammer hat ein Gewölbe von etwa 6 m Höhe. Diese um 3200 v. Chr. konstruierte Kragkuppel wurde mit solcher Präzision errichtet, dass sie bis heute überdauerte und selbst nach langen Schlechtwetterperioden Wasser ableitet.

4 Seitenkammern: Von der Hauptkammer gehen drei Seitenkammern so ab, dass sich ein kreuzförmiger Grundriss ergibt. In den flachen Steinschalen der Seitenkammern entdeckte man Spuren von Asche- und Knochenresten – Relikte von fünf Menschen. Könige, Priesterinnen, Menschenopfer? Sie sind vollkommen unbekannt. Viele der Steine sind mit eindrucksvollen Spiralen, Rauten und Schlangenlinien oder Zickzackornamenten verziert.

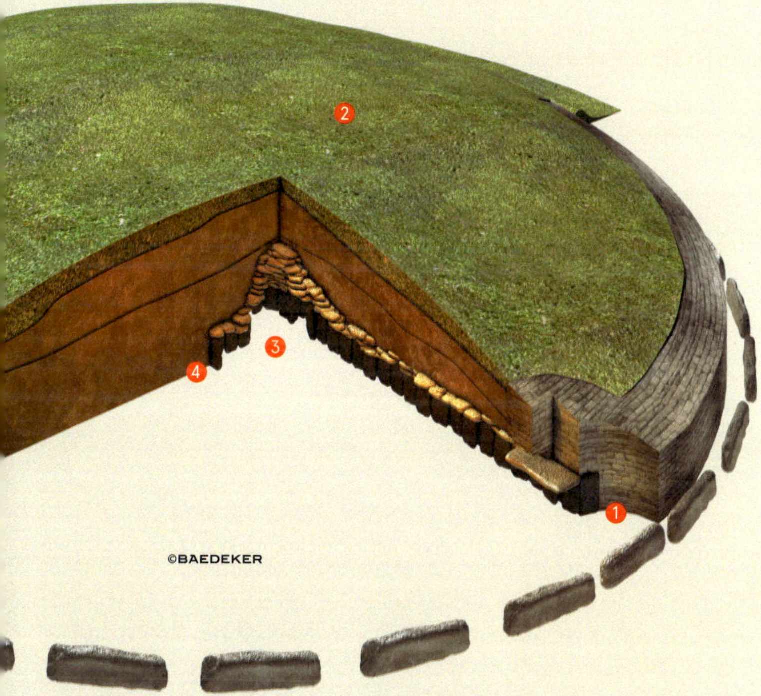

9 ★★ Rock of Cashel

Warum?	Der Schlafplatz der Feen – so und nicht anders wird er wohl aussehen
Was?	Ein zerklüfteter Felsen, der sich 61 m über der Ebene erhebt
Wie lange?	Ein paar überwältigende Stunden lang
Wann?	Im zeitigen Frühling, wenn die Natur erwacht
Was noch?	Die Ruine der Kathedrale ist der Mittelpunkt des Berges
Was nehme ich mit?	Die Erkenntnis, dass Ruinen (mitunter) inspirierender sind als teuer restaurierte Gemäuer

Den besten Anblick haben Sie bei der Anfahrt – hier erhebt sich die Silhouette des Rock of Cashel als mittelalterliche Steinkrone auf einem Felssockel eindrucksvoll über der Landschaft. Ab dem 12. Jh. war er Zentrum der irischen Kirche und später Krönungsstätte der Könige von Munster.

Auf dem »Rock of Cashel« erhebt sich das frühere kulturelle und religiöse Zentrum über die umliegende Grafschaft Tipperary.

Ein wichtiger Ort in der von Mythen durchwobenen irischen Geschichte – hier soll St. Patrick selbst den Lokalkönig Aengus zum rechten Glauben geführt haben. Brian Boru ließ sich am selben Ort 978 seine erste Krone aufsetzen,

machte Cashel gar zur Hauptstadt. Und seit 1101 gehört der Fels der Kirche, die sich gleich ein paar Prachtbauten errichten ließ – mithilfe Regensburger Handwerker.

Nach einem steilen, im Winter von kalten Winden umpeitschten Aufstieg vom Parkplatz erreicht man das Eingangstor der Anlage aus dem 15. Jh. Eindrucksvoll restauriert präsentiert sich die als Museum dienende Hall of the Vicars' Choral (die Stufen rechter Hand hinauf), bevor man das Hoftor durchschreitet. Der Ruinenkomplex birgt neben dem St. Patrick's Cross (12. Jh., Original im Museum) die Überreste einer Kathedrale (13. Jh.) mit der freskengeschmückten Cormac's Chapel als Meisterwerk romanischer Kirchenarchitektur, die nach aufwendigen Restaurierungsarbeiten wieder zugänglich ist.

Bunte Konsolenengel zieren die Wände der »Hall of the Vicars' Choral«.

Hat die Kapelle noch etwas »germanisches« Flair (hier werkelten die Franken), wird dies schnell durch den fast 30 m hohen, typisch irischen Rundturm ausgeglichen.

Das Städtchen Cashel

Wer noch Zeit hat, kann sie in Cashel verbringen. Hier gibt es die Ruinen eines Dominikanerklosters (13. Jh.) zu sehen, das Brú Ború Centre (www.bruboru.ie) zur Pflege irischer Musik sowie ein Heritage Centre samt Touristinfo in der Hauptstraße (Tel. 062 613 33) mit einem Modell des Orts im 17. Jh. und Verkauf von Kunsthandwerk.

KLEINE PAUSE

Spearman's Tearoom (97 Main St.) ist eine Institution in Cashel, wenn es um Muffins und Apple Pie geht. Seit 1930 trifft man sich zum Tee, kauft Sodabrot und Pralinen.

✢ 232 B4
✉ Cashel, County Tipperary
☎ 062 614 37

www.heritageireland.ie
Mitte März–Mitte Okt. 9–17.30, sonst 9–16.30 Uhr 8 €

Wie himmelwärts gehoben …

… wirkt die Kathedrale aus dem 13. Jh. auf dem Rock of Cashel. Schon im 5. Jh. stand an dieser Stelle ein Steinfort, Hochkönig Brian Boru wurde 977 hier gekrönt. In den Schatten der Kathedrale duckt sich die 1127–1134 erbaute Cormac's Chapel, die vielen als die interessanteste romanische Kirche Irlands gilt.

1 Vorhalle: Durch die Vorhalle gelangt man in die Kathedrale.

2 Erzbischöfliches Palais: Eher wie eine Burg wirkt der massige, zinnengekrönte Querbau, der im 15. Jh. als Bischofswohnung errichtet wurde.

3 Wendeltreppe: Durch beide Quertürme, die Haupt- und Seitenschiffe trennen, führen im Inneren Treppen.

4 Vierungsturm: Im 14. Jh. entstand als einer der letzten Teile der Kathedrale der Vierungsturm; der Chor (um 1230) ist der älteste Teil, es folgten Querschiffe, Hauptschiff und Vierung.

5 Rundturm: Knapp 28 m hoch erhebt sich der Rundturm, Rest eines verlorenen Klosters.

6 Cormac's Chapel: Ein Meisterwerk der romanischen Kirchenbaukunst. Beachtung verdienen die beiden ungleichen Türme, für die angeblich die Jakobskirche in Regensburg Modell stand. Der Innenraum mit Fresken und Konsolfiguren wurde restauriert.

7 Hall of the Vicars' Choral: Hier betritt der Besucher den ummauerten Bezirk. Das ehemalige Wohngebäude (15. Jh.) ist heute zu einem Museum umgestaltet. Hier wird auch das St. Patrick's Cross aufbewahrt. Die Holzdecke ist bemalt.

㉓ Wicklow Mountains

Warum?	Die Berge sind nah an Dublin – und doch so wild und frei
Was?	Eine der schönsten irischen Landschaften, zweifellos
Wie lange?	Bis die Blasen an den Füßen zu sehr schmerzen
Wann?	Mit der richtigen Kleidung einfach immer
Was noch?	Einkehr in Glendalough
Was nehme ich mit?	Göttlichen Segen, wenn Teile der alten Pilgerwege absolviert wurden

Diese Bergkette, die die Skyline im Süden von Dublin überragt, übt an Wochenenden große Anziehungskraft auf Tausende Stadtbewohner aus.

Reizvolle Straßen führen in die Wicklow Mountains – von Dublin aus ist die R115 die spektakulärste, aber auch teilweise herausfordernde Strecke, die über Glencree und die Sally Gap am Glenmacnass Waterfall vorbei nach Glendalough führt. Von wo man dann über Avoca in Richtung Arklow und Autobahn M11 zurückfährt. Alles auf verwundenen, oft engen Straßen. Die größte Sehenswürdigkeit ist ohne Zweifel das Tal von Glendalough mit seinen verstreuten Resten eines Klosters im Herzen der Berge.

Die R759 quert die Berge durch die 503 m hohe Sally Gap, etwas südlich sieht man tief unten Lough Tay.

Die Berge selber erreichen keine großen Höhen. Ihr höchster Gipfel, Lugnaquilla, misst lediglich 925 m, die meisten übrigen sind kaum höher als 850 m. Querfeldein ist man dennoch mit Risiko unterwegs. Dank diverser Wanderrouten und des Fernwanderwegs Wicklow Way, der die Berge von Norden nach Süden quert, wird das Wandern aber sicher. Wicklow ist auch das am dichtesten bewaldete County Irlands. Ausgezeichnete Waldwanderwege sind im Devil's Glen im östlichen Teil der Berge, bei Djouce Woods nahe Powerscourt, bei Ballinafunshoge in Glenmalure südlich von Glendalough und um Glendalough selbst zu finden.

Vom Gipfel des Three Rock Mountain bietet sich ein weiter Blick.

Tal der zwei Seen

Wer die Klosterstätte von Glendalough besucht, darf sich auf einen 30 m hohen Rundturm aus dem 11. Jh., die St. Kevin's Kitchen aus dem 12. Jh. (eigentlich ein schönes, aus Stein gebautes Oratorium) sowie großartige Blicke auf den See und die umgebenden Berge freuen. Vermutlich schon im 6. Jh. gegründet, erwarb das Kloster europaweit Geltung als Hort der Gelehrsamkeit. Gründer war der hl. Kevin aus dem Königshaus von Leinster, der hier im 6. Jh. nur Ruhe suchte, aber bald Fans anzog.

KLEINE PAUSE

Kehren Sie im **Roundwood Inn** (S. 95) ein, wo man Ihnen in hübscher zwangloser Umgebung schmackhafte Speisen serviert. In Avoca bieten sich **Fitzgerald's Pub** (Main St., Avoca) oder die **Avoca Handweavers** (S. 96) an.

229 D2–E3
Von Dublin über die R115, alternativ N81 und R756 (via Blessington und Hollywood) oder N11 und R755 (via Bray und Roundwood)

Touristinformation
Rialto House, Fitzwilliam Sq., Wicklow Town
www.visitwicklow.ie

Nach Lust und Laune!

24 Wicklow Coast

Die Küste von Wicklow ist ein lohnendes Ziel. Sie erstreckt sich im Süden von Bray und Greystones, der südlichen Endstation des DART (Dublin Area Rapid Transit), und ist über die R 761, die R 750 und ihre Nebenstraßen erschlossen. Lange Sandstrände säumen die Küste in Richtung Wicklow. Weiter südlich folgen Wicklow Head und der Silver Strand um Brittas Bay, ein schöner Streifen heller Sandstrände. Angler fischen dort im flachen Meer nach Kabeljau und Barschen.

Arklow ist ein hübscher kleiner Fischerort, bekannt für seinen Bootsbau. Nach einem Tag in den Wicklow-Bergen eignet sich die Küstenstraße perfekt für die Rückfahrt nach Dublin.

229 E2

25 Wexford Wildfowl Reserve

Wexford lockt die Vogelfreunde in Schwärmen an, der schlickreiche Hafen von North Slob – ein Wattgebiet nördlich der Stadt – ist einer der besten Standorte. An die 10 000 grönländische Blässgänse (ein Drittel der Weltpopulation) überwintern dort, neben vielen anderen Gänse- und Entenarten. Auch Schwäne, Rohrsänger, Rohrammern, Grünschenkel und Rotschenkel stellen sich ein. Das Schutzgebiet bietet auf Anfrage Führungen an.

233 D4 North Slob, Wexford
076 100 26 60
www.wexfordwildfowlreserve.ie
tgl. 9–17 Uhr frei

26 Irish National Heritage Park

Nehmen Sie sich Zeit für einen Spaziergang durch die irische Geschichte in dem Waldpark am River Slaney, 5 km nördlich von Wexford. Die Rekonstruktionen reichen von vor-

An Waterfords Suir-River-Kai reihen sich die Schiffe der Freizeitkapitäne.

christlichen Rundhäusern mit konischen Reetdächern bis zum kompletten *crannog* (Siedlung auf einer Insel im See), einer Wikinger-Bootswerft und einem frühmittelalterlichen Ringfort.

233 D4
Ferrycarrig, County Wexford
www.irishheritage.ie
Juli/Aug. 9.30–18.30, Nov.–März bis 17, sonst bis 17.30 Uhr
14 €

27 Waterford

Die alte Wikingerstadt durchwandern und in die Geschichte eintauchen – das gelingt am besten mit den Waterford Treasures, einer am Reginald's Tower beginnenden Kette von Museen. Von Schwertern bis Bleikristall wird die ganze Bandbreite der Historie gezeigt.

232 C3
www.visitwaterford.com
www.waterfordtreasures.com

28 Jerpoint Abbey

Die Ruinen der Abtei von Jerpoint lohnen den kurzen Umweg südlich von Kilkenny. Sie stammen aus mehreren Jahrhunderten, von der Gründung der Abtei im späten 12. Jh. bis zu ihrer Auflösung etwa 400 Jahre später. Zwischen den Doppelsäulen der schönen Klosterbögen stehen steinerne Statuen. Ein mit Zinnen verzierter Turm überragt das heute dachlose Kirchenschiff.

232 C4
Thomastown, County Kilkenny
www.heritageireland.ie
März–Sept. tgl. 9–17.30, Okt. tgl. 9–17, Nov. tgl. 9.30–16 Uhr 5 €

29 Dunmore Cave

Eine Besichtigungstour führt Sie über Gehsteige (106 Stufen) durch diese Kette von gut beleuchteten Kalksteinhöhlen. Höhlen von makabrem Ruhm: Hier sollen im Jahr 928 Hunderte Bewohner von den Wikingern massakriert worden sein. Man hat Skelette gefunden, auch ein paar den Wikingern zuzuordnende Artefakte, aber keinen Hinweis auf ein Massaker. Dem wohligen Schauer bei der Tour tut das keinen Abbruch, bizarr und grotesk geformte Gruppen von Stalaktiten und Stalagmiten setzen die Szene.

232 C5 Mothel, nahe Castlecomer, County Kilkenny
www.heritageireland.ie
tgl.; aktuelle Öffnungszeiten siehe Website (nur Führungen) 5 €

30 Moone & Castledermot High Crosses

Die vornormannischen Hochkreuze der Dörfer Moone und Castledermot in County Kildare sind einen Umweg wert. Das Kreuz von Moone ist über 5 m hoch; die beiden in Castledermot stehen nahe einem romanischen Türgang und der Ruine eines Rundturms. Alle drei Kreuze sind aus Granit und reich mit verschiedenen Bibelszenen dekoriert.

↔ 229 D2
✉ Moone und Castledermot liegen an der N 9, südl. von Naas ✦ frei

31 Irish National Stud, Irish Horse Museum & Japanese Gardens

Der reiche, exzentrische schottische Brauereierbe Oberst William Hall-Walker gründete 1902 das Irische Nationalgestüt am südlichen Rand der Stadt Kildare. Der Oberst war stark von der Astrologie und exotischen Religionen geprägt. Die Hengste und Stuten wurden unter dem Gesichtspunkt gepaart, dass ihre Sternzeichen zusammenpassten, die Entwicklung ihrer Fohlen wurde nach dem Horoskop geplant und die Boxen, in denen sie untergebracht waren, waren mit Oberlichtluken versehen, damit ihre Entwicklung durch Mond und Sterne günstig beeinflusst werden konnte.

Das benachbarte Gelände wurde 1906–1910 als japanischer Garten gestaltet, der das Leben des Menschen symbolisch als Reise zum Garten des Friedens und des Glücks darstellt. Nehmen Sie sich mindestens zwei Stunden Zeit.

↔ 228 C3 ✉ Tully, County Kildare
🌐 www.irishnationalstud.ie
◑ Feb.–Mitte Dez. tgl. 9–18 Uhr
✦ ab 17 €

32 Hill of Tara

Druiden und Zauberer, Heilige und Hochkönige – um Tara ranken sich mehr Legenden, als der beste Geschichtenerzähler aus dem Gedächtnis rezitieren kann. Schon während der Jungsteinzeit wurden hier Anlagen errichtet, und diese galten lange als das politische wie spirituelle Zentrum Irlands. Und als »Residenz« des Hochkönigs … der hier aber wohl nur ausgerufen wurde.

Tara spielt in vielen irischen Mythen eine Rolle – auch in der jüngeren Geschichte. Daniel O'Connell wählte den Hill of Tara 1843 zum Treffpunkt für ein »Monster Meeting«, Hauptforderung war irische Selbstbestimmung. Und die über 500 000 Menschen, die herbeiströmten, gaben ihm Recht. Schlendern Sie umher und lassen Sie Ihrer Fantasie freien Lauf.

↔ 229 D4 ✉ Castleboy, County Meath, Abfahrt 7 von der M3
🌐 www.heritageireland.ie
◑ ständig geöffnet, aber für Menschen mit Mobilitätsproblemen nur eingeschränkt zu empfehlen

Hill of Tara: aus der Vogelperspektive

33 Battle of the Boyne Visitor Centre

Die Schlacht am Boyne, die der protestantische König Wilhelm III. im Juli 1690 gegen vom Parlament abgesetzten katholischen König Jakob II., gewann, gilt als Wendepunkt der britischen Geschichte. Das Boyne Visitor Centre auf dem Gelände des restaurierten Oldbridge House, Schauplatz der Schlacht, zeichnet die Ereignisse nach, die zu der Begegnung führten, stellt Protagonisten und militärische Taktiken beider Seiten vor. Es werden ein Kurzfilm und allerlei Originalobjekte wie Waffen gezeigt, ein Lehrpfad führt außerdem durch das Areal. Und ein Café sorgt fürs leibliche Wohl.

229 D4
Oldbridge, Drogheda, County Meath
041 980 99 50
www.battleoftheboyne.ie
tgl. Mai–Sept. 10–17, Okt.–April 9–15.30 Uhr
5 €

Das frühere Kloster Monasterboice ist für seine herrlich gestalteten Hochkreuze bekannt.

34 Monasterboice

Auf diesem Klosterareal nördlich von Drogheda ballt sich eine erstaunliche Vielfalt an frühchristlichen Monumenten: ein 28 m hoher Rundturm aus dem 10. Jh., antike Grabplatten, die verfallenen Reste zweier Kirchen und – vor allem – drei Hochkreuze. Deren schönstes ist das über 5 m hohe South Cross oder Cross of Muiredach. Seine Reliefs zeigen u. a. die Versuchung Adams durch Eva, den Mord Kains an Abel, eine Anbetung der Drei Weisen (begleitet von Joseph) und ein Jüngstes Gericht, bei dem der heilige Michael die Seelen wiegt, wobei der Teufel an der Waage zerrt, um mehr zu ergattern, als ihm zusteht.

Alles zu ernst, zu religiös? Dann lohnt sich der Blick auf den Sockel, wo sich zwei Mittelalter-Hipster mit avantgardistischen Frisuren gegenüber hocken und gegenseitig an den langen Bärten zerren. Was immer uns das sagen soll …

229 D5 Abfahrt 10 von der M1
tgl. frei

Wohin zum ... Übernachten?

Preise für ein Doppelzimmer pro Nacht:

€	unter 70 Euro
€€	70–130 Euro
€€€	über 130 Euro

WICKLOW MOUNTAINS

Powerscourt Hotel €€€
Das im modernen Palladio-Stil erbaute Hotel gehört zu einem Anwesen, dessen Zentrum eins der prachtvollsten Landhäuser aus dem 18. Jh. und die schönsten Gärten im Umland von Dublin bilden. Service, Umfeld und Atmosphäre sind überirdisch.
229 E3 Enniskerry
01 274 88 88
www.powerscourthotel.com

Powerscourt Hotel: das erste Haus am Platz

WATERFORD

Waterford Marina Hotel €€
Das moderne, überaus gepflegte und zuvorkommend betriebene Hotel besticht durch seine Top-Lage unmittelbar am Fluss Suir. Bei schönem Wetter trifft man sich auf der Riverside Terrace zum Kaffee oder zu einen Aperitif, bevor man das hauseigene Bistro (ebenfalls mit Flussblick) für eine Seafood Chowder oder ein Thai Curry ansteuert.
232 C3
Canada St., Waterford
051 85 66 00
www.waterfordmarinahotel.com

KILKENNY

Hotel Kilkenny €€€
Gelungene Mischung aus Alt und Neu, stilvoll und romantisch. Zimmer in unterschiedlichen Kategorien und Größen, hauseigenes Spa. Fitnessstudio und ein großer Indoor-Pool stehen Hotelgästen zur Verfügung. Im Restaurant serviert man irisches Frühstück, trifft sich zum Sunday Lunch bei bester lokaler Küche und Bioprodukten der Region.
232 C5
College Rd., Kilkenny
056 776 20 00
www.hotelkilkenny.ie

Langton House Hotel €€–€€€
Eine Institution: Die historische Gastwirtschaft kennt so ziemlich jeder in Kilkenny. Neben behaglich mit Himmelbetten und Antiquitäten ausstaffierten Zimmern gehören auch noch mehrere Pubs und Tearooms, ein antiker Shop im alten Stil sowie eine behaglich-romantische Garten-Terrasse zur Anlage. Der Vorteil: Hier haben Sie alles unter einem Dach! Fragen Sie beim Buchen jedoch nach einem ruhig gelegenen Zimmer, da es an Wochenenden recht lebhaft wird.
232 C5
67–69 John St. Lower, Gardens, Kilkenny
056 776 51 33 www.langtons.ie

KILDARE

Carton House €€€
Inmitten eines gewaltigen Parks thront das über 300 Jahre alte, palladianische Herrenhaus, heute ein Fairmont Hotel, lange Wohnsitz der Grafen von Kildare und Herzöge von Leinster. Üppige Blumen, gebohnertes Parkett und altes Silber, dazu luxuriöse Extravaganz. Toll: Pub und Restaurant sind in der restaurierten Sattelkammer und den Ställen untergebracht, über dem Pool thront ein Kreuzgewölbe.
232 C3 Maynooth, Kildare
01 505 20 00
www.cartonhouse.com

K-Club €€€
Wohnen wie vermögender irischer Landadel: das großartige Haus von 1832, das sich im Design an ein französisches Schloss anlehnt, thront inmitten des über 200 ha großen Parks, durch den der River Liffey fließt. Zimmer und Suiten wie im Buckingham Palace und eines der besten Spas Irlands lassen jeden Aufenthalt zum Wellness-Urlaub werden. Ein Muss für Golfer ist der Besuch der beiden 18-Loch-Kurse, u. a. gestaltet von der Golfer-Legende Arnold Palmer.
228 C3 Straffan
01 6 01 72 00 www.kclub.ie

DROGHEDA

Scholar's Townhouse Hotel €€
Das 1867 erbaute Haus bietet individuell mit Himmelbetten, teilweise auch mit offenem Kamin ausgestattete Gästezimmer, die altertümlichen Charme verbreiten. Außerdem gibt's wunderbare Arrangements zum täglichen High Tea, der mit Gurkensandwichs, Muffins und einem Glas Prosecco aufwendig zelebriert wird.
229 E4 King St., Drogheda
041 983 54 10
www.scholarshotel.com

Wohin zum ... Essen und Trinken?

Preise für ein Essen (o. Getränke, Service):

€	unter 12 Euro
€€	12–25 Euro
€€€	über 25 Euro

WICKLOW MOUNTAINS

Avoca €–€€
Hier werden Sie mit köstlicher Bio-Hausmannskost bewirtet. Vegetarier kommen besonders auf ihre Kosten. Zu den Delikatessen gehören Bauernkäse und selbst gebackenes Brot. Im Sugar Tree Café (schöne Veranda) herrscht Selbstbedienung. Das Restaurant Fern House ist einem viktorianischen Gewächshaus nachempfunden.
229 E2
Kilmacanogue, County Wicklow
01 286 23 67
www.avoca.com
Sugar Tree Café: tgl. 9–17 Uhr; Fern House: tgl. 9–17 Uhr (letzte Bestellung 15 Uhr)

Roundwood Inn €–€€
Der berühmte Gasthof in den Wicklow-Bergen bietet alles: Kaminfeuer, ausgezeichnete Bar-Speisen und ein gediegenes Restaurant (Reservierung erforderlich). Spezialitäten sind: Suppen, Galway-Austern, geräucherte Wicklow-Forelle und deftige warme Speisen.
229 E2 Roundwood
01 281 81 07
Fr/Sa 13–23, So–Di 13–22 Uhr

WATERFORD

Bodega €€–€€€
Das mit diversen Preisen ausgezeichnete Restaurant zaubert selbst an Regentagen ein Lächeln auf das Gesicht der Gäste – dank bester mediterraner Küche mit Risotto aus wilden Pilzen und gegrilltem Schafskäse mit roter Bete aus biologischem Anbau. Dazu trinkt man ein Glas sardischen Cannonau.
232 C3 54 John St., Waterford
051 84 41 77
www.bodegawaterford.com
Mi/Do 16.30–21, Fr/Sa 16.30–22, So 13–20 Uhr

DUNGARVAN

The Tannery €€€
Dieses Restaurant ist etwas ganz Besonderes. Es bietet Bouillabaisse, Lasagne mit wildem Hasen und Salbei sowie eine saftige Steak- und Nierenpastete mit leckerer Kruste. Lassen Sie noch etwas Platz fürs Dessert aus süßem Brie mit Trüffelhonig und kandierten Mandeln. An Koch-Fans haben auch die Möglichkeit, sich für die Kochschule des Restaurantgründers Paul Flynn anzumelden.
232 B3
10 Quay St., Dungarvan
058 454 20
www.tannery.ie
Mi–Sa 17.30–21, So 12.30–15.30 Uhr

CASHEL

Chez Hans €€–€€€
Die über 100 Jahre alte, umgebaute Kapelle unterhalb des Felsens von Cashel glänzt mit Auszeichnungen und feinen Speisen: Die saisonalen Menüs sind breit gefächert, wobei die klassisch-französische Küche unter Einbindung heimischer Zutaten stets in hervorragenden Ergebnissen gipfelt. Zu den Spezialitäten gehören frischer Fisch und Schalentiere, Entenbraten und Tipprary-Lamm.
232 B4 Moor Lane, Cashel
062 611 77 www.chezhans.net
Fr/Sa 17.30–22, So 12.30–15 17–20 Uhr

KILKENNY

Campagne €€€
Farbenfrohe Bilder reihen sich an den Wänden dieses Restaurants, das mit moderner französischer Küche auf der Basis frischer irischer Produkte eine treue Anhängerschaft glücklich macht. Ob Kalb, Wild, Meeresfrüchte oder Edelfisch – alles schmeckt vorzüglich.
232 C5
The Arches, 5 Gashouse Lane, Kilkenny
056 777 28 58 www.campagne.ie
Mi/Do 17.30–21, Fr/Sa 17–21.30, So 12.30–14.30 Uhr

Langton's €€
Das Restaurant im Langton House Hotel ist eine der besten Adressen in Kilkenny. Genehmigen Sie sich erst einen Aperitif oder ein Gläschen Smithwicks in einer der Bars oder genießen Sie gleich im Restaurant einen der zahlreichen Klassiker wie Steak, Ofenlachs und geröstetes Entenküken, zu den Attraktionen zählen einige orientalische Gerichte.
232 C5 Langton House Hotel, 69 John St., Kilkenny
056 7 76 51 33 www.langtons.ie
Mi–So 12.30–20 Uhr

BALLYMORE EUSTACE

Ballymore Inn €€–€€€
Der ehemalige Landgasthof wurde in ein stilvolles Restaurant mit Mosaikboden und offenem Kamin umgestaltet. Das Angebot reicht von Pizza aus dem Steinofen bis zu Fleisch und Fisch, von örtlichen Anbietern unter Nachhaltigkeitskriterien produziert. Dazu gibt es Bier aus der eigenen Brauerei. Das *Back Bar Menu* mit reduziertem Angebot wendet sich besonders an Familien (eigene Kinder-Speisekarte).
229 D3
Ballymore Eustace, County Kildare
045 86 45 85
www.ballymoreinn.ie
Restaurant Mi–So 12.30–21 Uhr

MOONE

Moone High Cross Inn €
Das einladende Country Pub bei Kilkea Castle bietet offenes Kaminfeuer im Restaurant und in der Bar. Der Gasthof ist reich an Atmosphäre. Oben gibt es fünf Gästezimmer.
229 D2 Belan, County Kildare
059 862 41 12
Mo–Fr 16–23.30, Sa/So ab 14 Uhr

DROGHEDA

D'Vine Wine Bar & Restaurant €€
In dem kleinen Restaurant mit roter Front nahe dem alten Kloster serviert man italienische Küche mit französischem Touch. Zu einem Gläschen Wein passen Parmaschinken, Oliven oder Bruschetta ebenso gut wie Pasta und Risotto.
229 E4 Dyer St., Drogheda, Louth
041 9 80 04 40 www.dvine.ie
Mi–Fr 17–23, Sa/So 13–23 Uhr

Wohin zum … Einkaufen?

Avoca Handweavers (Kilmacanogue, Tel. 01 274 69 39) verkauft Stoffe, Kleidung, Kunsthandwerk und Lebensmittel. Rustikale Kleidung können Sie bei **Fishers of Newtownmountkennedy** (Tel. 01 281 94 04) erstehen. In Roundwood finden Sie Geschenkeläden und am Sonntagnachmittag ist Markt im Gemeindesaal (März–Dez).

KILKENNY

Das Kilkenny Design Centre gegenüber der Burg (www.kilkennydesign.com) ist landesweit berühmt für Qualität und Design der dort verkauften Waren aus lokalen Betrieben. In der stimmungsvollen Atmosphäre des historischen Anwesens werden Kaschmir-Plaids und Tweed-Jacken, handgetöpferte Schalen und Schmuck verkauft. Anschließend sollten Sie die Foodhall besuchen, wo es irische Leckereien für ein Picknick gibt.

BENNETTSBRIDGE & THOMASTOWN

Bekannt für traditionell getupfte Keramik ist Nicholas Mosse Pottery (Annamult Rd., Bennettsbridge, www.nicholasmosse.com, mit Café). Im nahen Thomastown können Sie im Jerpoint Glass Studio (www.jerpoint glass.com) zuschauen, wie Bleikristall mundgeblasen wird.

Wohin zum ... Ausgehen?

AKTIVITÄTEN IM FREIEN

In den Wicklow-Bergen bieten sich unterschiedliche Aktivitäten an, vor allem aber können Sie in dieser Landschaft wandern, Rad fahren, reiten, angeln und Golf spielen. An den Blessington Lakes liegt das Avon Activity Centre (www.theavon.ie).

Land der Pferde

Im County Tipperary gibt es drei Rennbahnen: Thurles, Clonmel und Tipperary. Auch Kildare hat drei Rennbahnen zu bieten: The Curragh (Tel. 045 44 12 05), Punchestown (Tel. 045 89 77 04) und Naas (Tel. 045 89 73 91). Reitstunden für jedes Niveau bietet das Warrington Top Flight Equestrian Centre in Warrington, County Kilkenny (www.topflightequestrian.ie).

Golf

Die beiden Greens des K Club (Straffan, County Kildare, www.kclub.ie) lassen jedes Golferherz höher schlagen und sind spielerisch eine Herausforderung. Im Clubhaus erinnern Bilder an den Ryder-Cup im Jahre 2006 sowie die Irish Open.

MUSIK

Irische Balladen und Flötenklänge locken am Wochenende in die Marine Bar (Pulla, Dungarvan, Tel. 058 465 20). Das Wexford Opera Festival (www.wexfordopera.com, Kasse: Tel. 053 912 21 44) präsentiert Mitte Okt./Anfang Nov. selten aufgeführte Opern. Beim Kilkenny Arts Festival (www.kilkennyarts.ie) wird im August Folk gespielt.

Auch per Planwagen kann man Wicklow County erkunden (www.clissmannhorsecaravans.com).

Bantry House spiegelt exemplarisch die Eleganz des 18. Jhs. – welch ein Kontrast zu den Cottages der einfachen Landbevölkerung.

Südwestirland

Irland in kompakter Form: Freuen Sie sich auf einsame Küsten, Fischerorte mit bunten Cottages und stattliche Herrenhäuser.

Seiten 98–129

Erste Orientierung

Vom Atlantik her fegen unzählige Stürme gegen die Südwestküste Irlands. Wind und Wellen haben faszinierende Landschaften geschaffen, steile Klippen und geschützte Buchten. Sie werden Hunderte Aussichtspunkte an dieser spektakulären Küste finden. Doch auch im Binnenland gibt es viel zu sehen, besonders in den Seitentälern der Shehy und Derrynasaggart Mountains.

Segeln, Tauchen, Hochseeangeln und Wassersport aller Art sind hier angesagt. Das Wetter, oft regnerisch und windig, ist ausgesprochen mild und frostfrei – der Grund für manche exotische Gärten mit Pflanzen, die man sonst weit näher am Äquator findet. Wanderer steigen auf dem Fernwanderweg »Kerry Way« über die Hügel, während Forellenangler an den Seen der Halbinsel Iveragh (deren »Ring of Kerry« wohl die bekannteste Rundstrecke Irlands ist) und im für seine Schönheit gerühmten Killarney-Nationalpark auf ihre Kosten kommen. Was die Bewohner von Kerry und Cork auszeichnet? Gelassene Lebensart und trockener Humor.

Cork ist »zweite Stadt« der Republik, wenn Corkonians meinen, dass dieser Titel Dublin gehöre. In Cork kann man prima Zeit »verbummeln« – es ist ein überschauba-

rer Ort, den man in einer Stunde zu Fuß durchquert, der aber auch einige Tage unterhalten kann. An der Küste reihen sich in Richtung Westen malerische Dörfer und Buchten aneinander, bis man auf fünf zerklüftete Halbinseln stößt, die sich wie die Finger einer großen Hand nach Westen spreizen – wie eine Hand zur Neuen Welt ausgestreckt. Ein passendes Bild, schifften sich doch Millionen Iren von hier nach Amerika ein, um der Armut zu entfliehen.

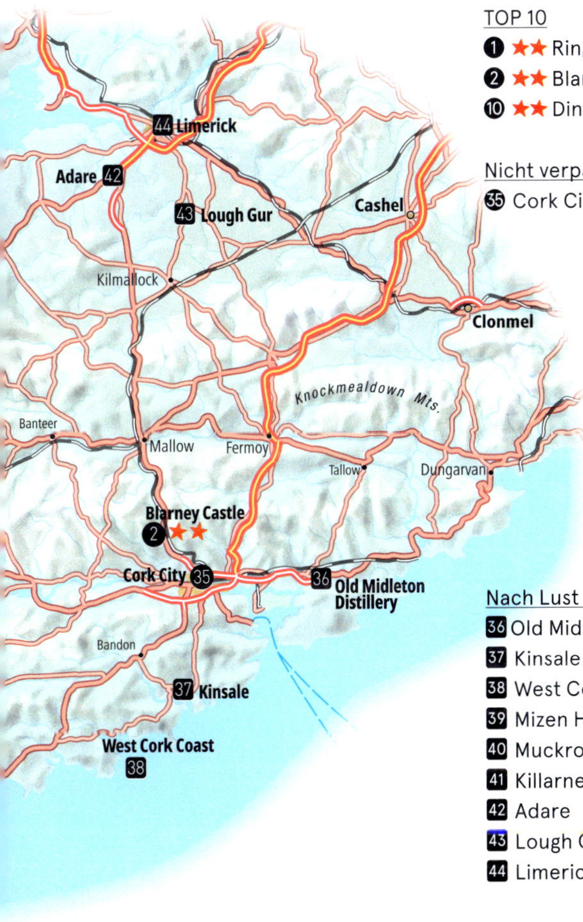

TOP 10

❶ ★★ Ring of Kerry

❷ ★★ Blarney Castle

❿ ★★ Dingle Peninsula

Nicht verpassen!

㉟ Cork City

Nach Lust und Laune!

36 Old Midleton Distillery

37 Kinsale

38 West Cork Coast

39 Mizen Head Signal Station

40 Muckross House & Abbey

41 Killarney National Park

42 Adare

43 Lough Gur

44 Limerick

Mein Tag am Meer

Der Atlantik glitzert in tiefem Blau, weiße Schaumkrönchen schwimmen darauf, die Luft ist frisch. Dazu wölben sich sanfte Hügel und goldgelbe Sandstrände unter verwitterten Klippen. Nirgendwo ist das Meer so präsent wie in Dingle, dem kleinen Fischerort am Rande Irlands.

9 Uhr: Erkundungstour

Fungie, der Delfin, war bis zu seinem Verschwinden 2020 die Hauptattraktion von Dingle (S. 113). Bummeln Sie aufmerksam durch die Gassen des Fischerdorfs. Winzige Schmuckläden (goldene Delfinanhänger!) und Modeboutiquen (Delfin-Sweater!) an der Green Street wechseln sich ab mit Pubs, die in knallbunten Cottages liegen.

Werfen Sie einen Blick in den Schankraum von Foxy John's (Main St.), der einen Laden für Baubedarf mit Zapfhähnen kombiniert. Während die Männer Angelhaken und Dübel besorgen, kippen sie auf die Schnelle ein Pint. Die kleine Hafenstadt mit kaum mehr als 2000 Einwohnern hat über dreißig Pubs – hier bleibt niemand lange durstig.

11 Uhr: Delfinen Hallo sagen

Am Hafen besteigen Sie ein Boot (z.B. Dingle Boat Tours, www.dingleboattours.com) und hinaus geht's aufs offene Meer. Seevögel und Robben begleiten Sie und vor der Bucht zeigt sich dann vielleicht auch ein Delfin. Gelegentlich klappt es wie inszeniert, springt ein Meeressäuger aus dem Wasser oder nähert sich neugierig den Booten.

Halten Sie die Kamera bereit! Nach einer guten Stunde steht bereits die Rückfahrt an.

19.30 Uhr: Kulinarik in der Fischerhütte

15.30 Uhr: Tea time gegenüber den Blasket Islands

14 Uhr: Kleine Fluchten

11 Uhr: Delfinen Hallo sagen

9 Uhr: Erkundungstour

Out of the Blue heißt die nette kleine Fischkneipe am Hafen von Dingle (rechts).

Sie haben sicherlich einen Delfin gesehen: Urlauber kehren vom Bootsausflug zurück (unten).

14 Uhr: Kleine Fluchten

Nach dem Lunch in einem der Café-Restaurants starten Sie auf dem Slea Head Drive, der schönsten Panoramastraße der ⑩ ★★ Dingle Peninsula (S. 112). Von Dingle aus geht's gen Westen und über die Brücke auf der R 559 Richtung Ventry. Eng und kurvenreich, den Atlantik stets in Sichtweite, gelangen Sie nach Slea Head mit einem traumhaften Panorama: die Skellig Islands im Süden, Dunmore Head, der westlichste Ort Irlands, im Norden und die Blasket Islands im Westen. Besser kann es kaum werden? Warten Sie ab, bis Sie nach Dunquin Pier gelangen. Steigen Sie den steilen, befestigten Weg hinunter zur Bucht, aus der moosbewachsene Felsen ragen. Ein wunderbares Erlebnis.

15.30 Uhr: Tea time gegenüber den Blasket Islands

Hypermodern mit weißen Wänden, dunklen Schieferböden und boden-

Fast zu schön, um wahr zu sein: der Weg hinunter zum Dunquin Pier

tiefen Fenstern ist das Blasket Centre, das den vorgelagerten, heute verlassenen Inseln gewidmet ist. Im Café gibt's guten Kuchen, gratis dazu den Blick auf die mystisch wirkenden Inseln.

Auf einer Tour erfahren Sie anschließend viel über das Leben der bis 1954 auf den Inseln lebenden Menschen: Seeleute und begnadete Geschichtenerzähler waren darunter und ein paar namhafte Schriftsteller.

19.30 Uhr: Kulinarik in der Fischerhütte

Out of the Blue heißt die nette kleine Pinte am Hafen, in die man sich sofort verliebt. Doch Vorsicht: »Fleischesser können draußen bleiben«, heißt es hier augenzwinkernd. Mit Kreide steht auf den Tafeln, was die Fischer von Dingle aus dem Meer geholt haben, denn das landet abends auf den Tischen.

i

Länge: 45 km

The Blasket Centre
230 A3 www.blasket.ie
Ende März–Anfang Nov.
5 €

Out of the Blue
230 B3
066 915 08 11
www.outoftheblue.ie
Sommer tgl. 16–21.30 Uhr

❶ ★★ Ring of Kerry

Warum?	Sie werden doch den schönsten Abschnitt des Wild Atlantic Way nicht auslassen?
Was?	Einmal um die Iveragh-Halbinsel
Wann?	Natürlich im Mai, wenn alles grünt und blüht
Wie lange?	Am besten gleich mehrere Tage
Was noch?	Die schöne Nebenstrecke nordostwärts das Inny Valley hinauf
Was nehme ich mit?	Den Wunsch, für immer hier zu bleiben … oder einen Hass auf Wohnmobile und Touristenbusse

Die Panoramastraße »Ring of Kerry«, die um die Halbinsel Iveragh herumführt, ist die beliebteste Touristenroute Irlands. Und mit ihren wilden Mooren, wunderbaren Küstenblicken und Hügellandschaften ist sie sicher auch eine der schönsten.

Entlang der Nordküste

Auf dem Weg von Killarney nach Westen und Killorglin streifen Sie zunächst die Nordseite des bergumrahmten Lough Leane. Killorglin ist eine originelle kleine Stadt, bekannt vor allem durch ihre »Puck Fair« im August, bei der getrunken, getanzt, Vieh ge- und verkauft wird – alles unter dem Vorsitz einer Ziege auf dem Podium. Nehmen Sie ab Killorglin die Nebenstrecke zum Lough Caragh, damit Sie sich auf die *boglands* (Moore) und das wilde Land vor Ihnen einstimmen.

Zurück auf der Hauptstrecke (N 70), kommt als nächstes Dorf Glenbeigh. Unten an der Küste liegt Rossbeigh Beach, ein Kiesstrand mit 3 km langer Landzunge aus Dünen und einem wundervollen Blick auf die Hügelrücken der Halbinseln Iveragh und Dingle. Eine steile Bergstraße führt Sie im Bogen zur Hauptroute zurück, der Sie in südwestlicher Richtung durch zunehmend hügeliges Land folgen. Steile Berghänge, die mit kleinen Feldern gesprenkelt und mit Farmen besetzt sind, recken sich durch Farn und Heide zu spitzen Gipfeln von fast 800 m Höhe.

Nahe Cahirciveen (auch: Caherciveen, Cahersiveen) passieren Sie den Schornstein eines Torfkraftwerks. Kurz vor der Brücke ins Dorf liegen links die von Efeu umrankten

Der Derrynane National Park liegt südlich von Waterville an einem besonders eindrucksvollen Abschnitt des Ring of Kerry (oben).

Gap of Dunloe: Am Ring of Kerry bleibt viel Raum für Wander-Fans (links).

Ruinen des Geburtshauses von Daniel O'Connell (1775–1847), einem der wichtigsten Politiker Irlands im 19. Jh., der durch seinen Kampf für die politische Emanzipation der Katholiken den Beinamen »The Liberator« erhielt. Ein Schwenk im Dorf nach rechts, vorbei an den merkwürdigen, burgähnlichen »Barracks« (heute Museum), führt Sie auf

Beherbergt eines der am schwersten zugänglichen Klöster Irlands: Skellig Michael (oben).

Little Skellig ist ein Vogelparadies (Mitte).

Rechts in der Wand ist das Kloster – wie man da wohl anlegen mag?

Nebenstrecken. Braune Schilder mit der Aufschrift »Stone Houses« geleiten Sie zu zwei Steinforts, zunächst Cahergall, dann zum auf einem Felssporn thronenden Leacanabuaile; dort finden Sie die Reste von Bienenkorbhütten aus dem 9. Jh., eingefasst von einem intakten Ringwall.

Ein Abstecher führt von Cahirciveen westlich nach Portmagee und zur Brücke nach Valentia Island. Die Insel ist ein ruhiger Fleck mit subtropischen Gärten von Sir Peter George FitzGerald, dem 19. Knight of Kerry, aus dem 19. Jh. an der Nordseite bei Glanleam und spektakulären Ausblicken im Norden und Westen. Ab Portmagee verkehren Schiffe (je nach Wetter) zu den Skelligs, schroffen Felsen vor der Küste, Standort beachtlicher frühchristlicher Klosterruinen.

Die südliche Halbinsel

Fahren Sie an Ballinskelligs Bay (Bá na Scealg) vorbei und von Waterville nach Coomakista hinauf: Rechts liegen die Skelligs in der Ferne und vor Ihnen die Mündung des Kenmare River. In Caherdaniel (Cathair Dónall) zweigt eine Nebenstraße zum Derrynane House ab. Das von Daniel O'Connell 1825 geerbte Haus ist voller Erinnerungsstücke – von Porträts bis zu der Taufschale und dem Bett, in dem er starb. Im Außenbereich befinden sich Gärten, ein Ringwall sowie ein Altarstein, um den sich Katholiken, deren Glaube im 18. Jh. unterdrückt wurde, heimlich zur Messe versammelten. Von Castlecove führt ein Abstecher nach Norden zum Staigue Fort, Irlands besterhaltenem prähistorischem Fort, einem Steinturm. Danach erreicht die Straße das hübsche Sneem, zweigt als R568 links ab und führt Sie zurück nach Killarney.

KLEINE PAUSE

Im kleinen Sneem entdecken Sie mehrere tolle Cafés und Pubs. Dank der knallbunten Fassade nicht zu verfehlen ist **Dan Murphy's Bar** (South Square), der Treff für einen Pot of Tea oder ein Glas Irish Coffee.

✣ 230 B2/3–C2/3

Touristeninformation
✉ Beech Rd., Killarney, Co Kerry
☎ 064 663 16 33

Derrynane House
✉ 3,5 km von Caherdaniel
☎ 066 947 51 13 ◷ Mitte März–Sept. tgl. 10–16.30, Okt.–5. Nov. tgl. 10.30–16, 11. Nov.–10. Dez. Sa/So 10–15 Uhr ✦ 5 €

❷ ★★ Blarney Castle

Warum?	Die Gabe der Beredsamkeit – hier bekomm' ich sie
Was?	Rückwärts über den Burgzinnen den Blarney Stone küssen
Wann?	Ganz früh oder spät, um Schlangestehen zu vermeiden
Wie lange?	Zwei Stunden
Was nehme ich mit?	Nie wieder um eine Antwort verlegen sein

Blarney Castle ist eine wuchtig-romantische Burg aus dem 15. Jh. Sie liegt in einer schönen Umgebung mit uralten Eiben und bizarren Felsformationen im Grün. Doch alle kommen nur hierher, um den Stein von Blarney zu küssen. Denn dem, der den Blarney Stone küsst, wird angeblich auf magische Weise die Gabe der Redegewandtheit zuteil.

Blarney Castle war einst die Festung des MacCarthy-Clans, der ehemaligen Könige von Desmond.

Der Weg zum Stein

Auf der Brustwehr des Turms finden Sie den Blarney Stone, eingelassen in eine Lücke der äußeren Befestigungsmauer. Sie müssen sich auf den Rücken legen, sich mit den Händen an zwei Stangen festhalten und Ihren Kopf nach hinten hängen lassen (unterstützt von einem Aufseher). Dann noch den innigen Kuss nicht vergessen! Ein Wort zur Vorsicht: Leeren Sie vorher Ihre Taschen, damit Ihnen nicht der ganze Inhalt herauskullert, wenn Sie sich zurückbeugen.

KLEINE PAUSE

Muffins mit hausgemachter Erdbeermarmelade schmecken gut im **Stable Yard Café** um die Ecke von Blarney Castle.

ℹ

231 E3
Blarney Castle, Blarney, Co. Cork
021 438 52 52

www.blarneycastle.ie
Mai–Sept. 9–18, April, Okt. 9–17.30, Nov.–März 9–16 Uhr 20 €

Insel-Idyllen

Ilnacullin, auch Garinish Island genannt, ist ein Kleinod in der Bantry Bay. Auf der Insel ließ sich John Annan Bryce ab 1910 einen »italienischen« Garten anlegen. Sehenswert, da hier auch mehr exotische Pflanzen vom Golfstrom klimatisch verwöhnt werden. Hin kommen Sie nur mit dem Boot, ab Glengarriff … und bei der Überfahrt entdecken Sie vielleicht den wahren Zauber der Natur: Robbenkolonien, die auf den Felsen eine Pause einlegen.

Info unter www.garinishisland.ie

⑩ ★★ Dingle Peninsula (Corca Dhuibhne)

Warum?	Ich bin dann mal weg!
Was?	Das Geschrei der Möwen, der Geruch nach Salz und Algen, ein Schwätzchen mit Fischern
Wann?	Zwischen Juni und September
Wie lange?	Mindestens zwei Tage
Was noch?	Der Fernwanderweg »Dingle Way«
Was nehme ich mit?	Eine neue Überzeugung: Es braucht nicht viel zum Glück

Diese abgelegene Halbinsel ist ein ungeschliffenes Juwel unberührter Natur, sie ragt etwa 50 km westlich von Tralee ins Meer hinaus. Dort finden Sie Berge, eine zerklüftete Küste, Sandstrände, kleine charaktervolle Städte und eine bemerkenswerte Konzentration prähistorischer und frühchristlicher Denkmäler sowie die im Meer verstreuten Blasket Islands (Na Blascaodai).

Fahren Sie von Tralee 13 km auf der N 86 nach Westen an den großen, weißen Flügeln der restaurierten Windmühle von Blennerville vorbei nach Camp, mit dem Slieve-Mish-Gebirge zu Ihrer Linken. Der wunderbar wilde Fernwanderweg »Dingle Way« verläuft am Hang oberhalb der Straße. Hoch über Camp erhebt sich der 835 m hohe Caherconree. Von unten ist die Steinmauer eines antiken Forts in Gipfelnähe zu sehen. Hier wurde Bláthnad, die Geliebte Cú Chulainns, vom sagenhaften König Cú Roí mac Dáire gefangen gehalten. Doch Bláthnad wies ihrem Geliebten den Weg zu ihr, indem sie Milch in die Quelle des River Finglas goss. Cú Chulainn griff das Fort an, tötete den König und so lebten sie …

Nehmen Sie ab Camp Cross die Gebirgsstraße nach Inch (Inse) an der Südküste. Die Aussicht zählt zu den schönsten Irlands: Sie sehen mächtige Nehrungen und vom Wind geformte Sandflächen in Castlemaine Harbour vor dem Hintergrund der Macgillycuddy's Reeks auf Iveragh.

Der pittoreske Hafenort Dingle

Der Südwesten

Die südliche Küstenstraße verläuft westlich und wendet sich bei Anascaul (Abhainn an Scáil) landeinwärts. Der South Pole Inn an der Brücke gehörte in den frühen 1900er-Jahren Thomas Crean, einem Teilnehmer der unglücklichen Antarktis-Expedition von Captain Scott 1912. Es folgt Dingle (An Daingean). Quietschbunte Cottages, reetgedeckte alte Pubs, Cafés, Restaurants und kleine Shops, ein lebhafter Hafen: Dingle ist ein Fischerdörfchen, wie man es sich erträumt.

Bis 2020 zehrte der Ort vom Ruhm des Fungie – der Delfin hatte sich die Bucht zur Heimat erkoren, und lebte in trauter Eintracht mit Einheimischen und immer mehr Touristen. Dann verschwand er plötzlich, wahrscheinlich verstarb er schlicht an Altersschwäche. Der Souvenir-Rummel um den Meeressäuger hält jedoch an, so dass man Delfin-Devotionalien kaum entkommen kann. Zahlreiche Anbieter bieten ganzjährig Bootstrips vom Hafen aus, sogar mit Geld-zurück-Garantie, falls man keinen Delfin zu Gesicht bekommt.

Im Ortskern von Dingle, wo sich ein Pub an den anderen reiht, dringt überall irische Folk Musik auf die Straße. Starten Sie den Abend im Lord Baker's Pub, der ältesten Kneipe der Stadt, und gehen Sie später in die An Droichead Beag, wo es jeden Abend zwanglose Sessions gibt. Probieren Sie auch die lokale Delikatesse, *Dingle pie*, eine deftige Schaffleisch-Pastete. Jedes Jahr am 26. Dezember ist in der Stadt der Teufel los, dann spielen sich nämlich fantastisch verkleidete »Wren Boys« gegenseitig grobe Streiche. Früher jagten und töteten die Teilnehmer dieses Festes Zaunkönige (engl. *wren,* daher der Name), da die Vögel nach einst verbreitetem Glauben Christus verraten hatten.

Am westlichen Ende der Halbinsel entlang der R559 befinden sich Ventry (Ceann Trá) an einer perfekt sichelförmigen Bucht, Mount Eagle (Sliabh an Iolair), dessen Hänge mit *chlochans* (Bienenkorbhäuschen) frühchristlicher Eremiten bedeckt sind, sowie nahe dem offenen Atlantik das kleine Dunquin (Dún Chaoin), wo 1970 der Film »Ryans Tochter« gedreht wurde.

Drei Meilen vor der Küste liegen die Blasket Islands, deren letzte Bewohner 1953 aufs Festland zogen.

Draußen im Meer liegen die Blasket Islands: Die größten sind Great Blasket, Inishvickillaun, Inishnabro und Inish-

tooskert. Zwischen 1928 und 1939 schrieben die Inselbewohner Tomás Ó Criomhthain, Peig Sayers und Muiris Ó Súilleabháin faszinierende Erzählungen über die einfach und abgeschieden lebenden 120 Bewohner von Great Blasket, die wenig oder gar kein Englisch sprachen. Die Insel wurde 1954 evakuiert, als das Leben dort zu beschwerlich wurde.

Das Gefühl von Raum und Isolation draußen ist überwältigend. Erleben Sie es, wenn Sie die Gelegenheit haben. Wenn nicht, trösten Sie sich mit dem Besuch des Blasket Centre von Dunquin.

Zurück entlang der Südküste

Beginnen Sie Ihre Rückfahrt durch Ballyferriter (Baile an Fheirtéaraigh) mit einem Besuch des winzigen Gallarus Oratory. 1,5 km entfernt liegt Kilmalkedar Church, eine hübsche Ruine aus dem 12. Jh. mit Steinskulpturen.

Nebenstraßen führen hinüber zum Ballydavid Head (Ceann Baile Dháith) und seinen schwindelerregenden Klippen. Wenn Sie Zeit und gute Sicht haben, können Sie auf der markierten Saints' Road zum kleinen Cloghane (An Clochán) an der Nordküste hinüberwandern. Von dort können Wander-Fans den 953 m hohen Mount Brandon (Cnoc Bréanainn) mit dem St. Brendan's Oratory auf dem Gipfel erklimmen.

Bevor Sie nach Tralee zurückfahren, sollten Sie unbedingt den Umweg zur Landzunge The Maharees im Norden der Dingle-Halbinsel bei Castlegregory unternehmen: Helle, feinsandige Dünen umgeben die naturbelassenen Strände, das ist ein wunderschöner Ort für lange Strandspaziergänge, an heißen Sommertagen auch zum Baden. Mehrere Surfschulen unterrichten in der Kunst, auf den Wellen zu reiten, und vermieten Boards.

KLEINE PAUSE

Das knallrot gestrichene **Dingle Bay Hotel** (Strand St., www.dinglebayhotel.com) ist nicht nur eine Top-Adresse zum Übernachten. Das angeschlossene **Long's Restaurant** bietet eine gute Fischsuppe. Und die **Paudie's Bar** ist ein Treffpunkt bis spät in die Nacht.

---

230 A/B3 www.dinglepeninsula.ie

㉟ Cork City

Warum?	Weil diese »zweite Stadt« wirklich erstklassig ist
Was?	Ein Stadtbummel
Wann?	Jederzeit
Wie lange?	Ein Tag
Was noch?	In St. Anne's die Glocken klingen lassen
Was nehme ich mit?	Einen ganz neuen Eindruck von der ganz alltäglichen Butter, die hier Reichtum brachte

Der Charme von Irlands »zweiter Stadt« wird so auf Sie abfärben, dass Sie sich bald an ihr gemächliches Tempo gewöhnt haben werden. Der River Lee verzweigt sich bei Cork und legt seine beiden Arme um den Stadtkern. Die vielen Brücken machen den Stadtbummel zu einem Vergnügen.

Beachten Sie in der Saint Fin Barre's Cathedral in der Bishop Street südlich des South Channel die Außensskulpturen, die schönen Glasfenster aus dem 19. Jh. und den zartfarbenen Mosaikboden des Chors. Klappen Sie die Chorsitze hoch und betrachten Sie die hübschen Schnitzereien, die die Misericordien schmücken (und denken Sie an die armen Chorknaben, die auf diesen Simsen hockten).

Betrachten Sie im überdachten English Market an der Grand Parade im Stadtzentrum das bunte Gemisch von Ständen. Schlendern Sie im nahen Hugenottenviertel durch schmale Gassen, vorbei an kleinen, alten Häusern, Geschäften, Cafés und Pubs. Hier lebten im 18. Jh. französische protestantische Handwerker, die vor religiöser Verfolgung geflohen waren. Wenden Sie sich in Richtung Fluss nach Norden und besuchen Sie die ausgezeichnete Crawford Art Gallery in der Paul Street.

Gehen Sie nördlich des Flusses die steilen Straßen von Shandon zur St. Anne's Church hinauf und läuten selber die Glocken, danach schauen Sie sich im Butter Museum um, das Corks einstiger Quelle des Wohlstandes gewidmet ist. Wie die Butter hergestellt wird, führt man jeden Samstag um 12 Uhr in einer interessanten Demonstration vor.

Das Cork City Gaol gibt Einblick in das Leben in einem Gefängnis des 19. Jhs. (links). Der überdachte English Market wird seit 1788 betrieben (rechts).

Ein halbstündiger Marsch nach Westen führt Sie nach Sunday's Well, wo Sie im alten Cork City Gaol alles über das Kerkerelend des 19. Jhs. erfahren. Im alten Bahnhof von Cobh, südöstlich von Cork, ist The Queenstown Story ausgestellt. Cobh, das frühere Queenstown, war einst der wichtigste Einschiffungshafen für Emigranten. Diese beeindruckende Ausstellung beleuchtet das Trauma der Emigration, der Hunderttausende Iren ausgesetzt waren, die vor allem ab 1845 auf den berüchtigten »Sargschiffen« nach Amerika ausgewandert sind. Und 1912 war Cobh der letzte Hafen, den die »Titanic« anlief.

KLEINE PAUSE

Im **Farmgate Restaurant** (S. 126) im ersten Stock genießen Sie neben guter Kost auch einen luftigen Blick auf den English Market.

---

231 F2

Crawford Art Gallery
www.crawfordartgallery.ie frei

St. Anne's Church
www.shandonbells.ie
6 €

Butter Museum
www.thebuttermuseum.com 5 €

Cork City Gaol
www.corkcitygaol.com 10 €

The Queenstown Story
www.cobheritage.com 13,50 €

Weitblick in Ruhe

Wenn Ihnen Dingle zu touristisch ist, dann schnell auf die andere Seite des Hafens … und zum Eask Tower hinaufspaziert. Dieses skurrile Seezeichen auf dem Carhoo Hill bietet Einsamkeit und einen herrlichen Blick auf die Landschaft, das Meer, die Berge. Und mit ein wenig Glück den magischen Moment, in dem Delfinschulen, Orcas und Wale im Meer vorbeiziehen. Etwas Geduld ist hier unbezahlbar.

Nach Lust und Laune!

36 Old Midleton Distillery

Jamesons alte Whiskey-Brennerei in der Marktstadt Midleton ist heute ein Besucherzentrum. In den Originalgebäuden der Brennerei können Sie unter anderem die größte Kupferdestillieranlage der Welt besichtigen – und natürlich Whiskey degustieren. Am anderen Ende des Hofs dampft die neue Brennerei, die pro Jahr 23 Mio. Flaschen Whiskey erzeugt und die Luft mit dem süßen Geruch von Malz und Alkohol erfüllt.

231 F2
www.jamesonwhiskey.com
diverse Touren ab 26 €

37 Kinsale

Jedem gefällt dieser schmucke kleine Fischerort genau südlich von Cork mit seinen schmalen, gewundenen Gassen, alten Steinhäusern, und seiner Lage am Scheitel einer engen, felsigen Bucht, dem Gezeitentrichter des Bandon River. Der Ort ist eine Feinschmeckerhauptstadt Irlands, es gibt einige ausgezeichnete Fischrestaurants sowie ein alljährlich im Oktober stattfindendes »Gourmet Festival«. Steigen Sie südlich von Kinsale auf den Compass Hill und genießen Sie den Rundblick über die Stadt und die mit Segelbooten gesprenkelte Bucht.

231 E2
www.kinsale.ie

38 West Cork Coast

Die Küste westlich von Kinsale ist landschaftlich besonders reizvoll: wild und schroff, dann wieder lieblich. Auf die Klippen des Old Head von Kinsale folgt eine Reihe sandiger Nischen und felsiger Buchten mit Landvorsprüngen, in deren Scheitel sich malerische Dörfer wie

Die Schaubrennerei von Old Jameson im Gründungshaus in Midletons Bow Street

Courtmacsherry und Rosscarbery schmiegen.

Castletownshend mit seiner Burg am Fuß der steilen Dorfstraße ist besonders malerisch. Bummeln Sie entlang der alten, gewundenen Kopfsteinpflastergassen, die gesäumt werden von kleinen, bunt gekalkten Häuschen.

Ganz im Süden gelangen Sie nach Baltimore, einem bescheidenen kleinen Fischerdorf mit ein paar Hundert Einwohnern, sozusagen eine irische Version des Endes der Welt. Wären da nicht der lebhafte Hafen und eine Reihe von schnuckeligen Pubs, klein, mitunter etwas düster und mit Hummerreusen und Segelutensilien dekoriert. Nehmen Sie Platz auf den Bänken und Stühlen davor und ordern ein Pint mit Blick auf das Wasser. Von Baltimore verkehren Fähren zur Sherkin Island und Clear Island (Oilean Cléire) in der Roaringwater Bay (Bucht des tosenden Wassers), wie sie zu Recht genannt wird.

An der Nordseite der Bucht beginnen die Five Fingers, raue Halbinseln, die der Atlantik aus der Küste geschnitten hat. Von Schull aus können Sie zu den Klippen von Mizen Head (Foto unten) fahren, dem südlichsten Punkt der irischen Hauptinsel. Von Durrus erreichen Sie die Spitze der Halbinsel Sheep's Head. Auf einer aufregend steilen und kurvigen Bergstraße, »Goat's Path« genannt, mit Blick über die Bantry Bay und deren Inseln, kehren Sie nach Durrus zurück.

Der Ring of Beara ist ein Rundkurs um die gebirgige Beara-Halbinsel. Drei Inselausflüge sind zu empfehlen: zu den subtropischen Gärten von Garinish vor Glengarriff, zur bergigen Bere Island weiter westlich (beide per Boot zu errei-

Wilder kann sich eine Küste kaum gebärden: Mizen Head – einer der südlichsten Punkte Irlands

chen) und via Schwebebahn über einen tosenden Gezeitenarm zur felsigen und dramatischen Dursey Island.

✈ 230 A2–231 D1
🌐 www.explorewestcork.ie

39 Mizen Head Signal Station

Mizen Head ist Irlands südwestlichster Punkt, gelegen an einer spektakulären Küste. Vom Parkplatz führt ein kurzer Weg hinab über 99 Stufen zu einem Aussichtspunkt, von dem aus Sie Seevögel und Robben beobachten können – sogar Wale tauchen gelegentlich vor der Küste auf. Cloghane Island mit seiner Signalstation erreichen Sie über eine spektakuläre Brücke. Erkunden Sie die früheren Wohnräume und werfen Sie einen Blick auf die Bildtafeln.

✈ 230 B1 🌐 www.mizenhead.ie
🕐 tgl. Juni–Aug. 10–18, April/Mai, Sept./Okt. 10.30–17, Nov.–März Sa/So 11–16 Uhr 🎟 7,50 €

40 Muckross House & Abbey

Muckross House im Herzen des Killarney National Park ist ein stattliches viktorianisches Landhaus im elisabethanischen Stil samt weitläufigen, mit Kunst und Gemälden ausstaffierten Salons. Jagdtrophäen schmücken die mit handgemalten Tapeten bedeckten Wände. Am eindrucksvollsten ist sicher die gewaltige antike Küche, die man in dieser Pracht nur selten zu sehen bekommt. Bevor es weitergeht, lohnt ein Besuch im Garden Restaurant des Anwesens: Im Wintergarten oder auf der teakmöblierten Terrasse mit Blick auf die viktorianischen Gewächshäuser und mannshohen Rhododendren schmecken die ofenwarmen Apple Pie mit Sahne doppelt so gut.

Muckross House präsentiert als Museum adlige Wohnkultur und Lebensweise im 19. Jh.

Anschließend schauen Sie sich die großartigen Gärten an – exotische Bäume und Blumen, gewaltige Baumfarne und Bambushaine wachsen hier in üppiger Pracht.

Zum Anwesen gehören auch die sog. *traditional farms*, ein Freilichtmuseum, das aus mehreren historischen Cottages und Farmgebäuden besteht, die noch Anfang des 20. Jhs. typisch waren für die bäuerliche Landwirtschaft Irlands. Das weitere Gelände des Parks lädt zu Uferspaziergängen oder Fahrten mit dem Pferdewagen ein.

Nördlich liegen die eindrucksvollen Ruinen von Muckross Abbey, die 1340 gegründet wurde. Die besten Teile sind der Kreuzgang und das Skelett des großen Ostfensters unter dem mächtigen, quadratischen Turm.

> 230 C3 www.muckross-house.ie
> Haus und Gärten: Juli/Aug 9.15–16, Nov.–März bis 17.30, sonst bis 18 Uhr
> Haus 7 €, Kombiticket 12 €

41 Killarney National Park

Die Seen und Berge um Killarney sind für ihre Schönheit berühmt, aber der kommerzielle Betrieb in Killarney selbst ist eher unrühmlich. Touristen, Wanderer sowie Abenteurer kommen seit fast 200 Jahren in die Region, und alles ist wohl organisiert. Vielleicht ist Ihnen eine Fahrt mit dem Pferdewagen ja den stolzen Preis wert. Denn die Kutscher, *jarveys* genannt, sind wortgewandt und kennen jeden Winkel. Ansonsten wenden Sie sich lieber Lough Leane im Süden von Killarney zu, dem Herzstück des 10 125 ha großen Nationalparks. Sie können zum Beispiel ein Ruderboot mieten und damit zur Insel Inisfallen fahren oder sich tiefer in die Hügel hineinwagen, um den Torc-Wasserfall anzuschauen und vom Middle zum Upper Lake hochzuklettern.

In der Ferienzeit kann das Seengebiet recht voll werden. Wandern Sie dann lieber in die Berge – etwa auf dem gut markierten Kerry Way oder der abenteuerlichen, 16 km langen Old Kenmare Road, die hoch und einsam durch eine wildschöne Landschaft führt. Weit ab vom allgemeinen Tourismus.

> 230 C3
> www.nationalparks.ie/killarney

Von der Mündung des Kenmare River geht es hinein in den Killarney National Park.

42 Adare

Das 19 km südlich von Limerick City gelegene Adare gehört zweifelsohne zu den hübschesten Dörfern Irlands. Es wurde im 19. Jh. von den Grafen von Dunraven als Gutsdorf angelegt und wird sorgfältig gepflegt. Für sich und seine Familie ließ der Earl of Dunraven gleich ein ganzes Schloss errichten und mit Kunstschätzen ausstatten. Das Adare Manor genannte Anwesen ist noch immer das Juwel des Ortes und heute Irlands stilvollstes Manor Hotel (Herrenhaus; S. 125).

Ordensgemeinschaften ließen sich um Adare nieder, davon zeugen noch: die bogenreiche Brücke, um 1400 erbaut; die Pfarrkirche, eine ehemalige Klosterkirche des 13. Jhs.; ein Augustinerkloster von etwa 1315 mit einem Mausoleum für die Dunravens im Kreuzgang; und auf dem Gelände der Domäne von Adare (heute ein Luxushotel) die Ruinen eines Franziskanerklosters aus dem 15. Jh. Die Parks des Anwesens dehnen sich kilometerweit.

Da gibt es eine mittelalterliche Burg und viele seltene Bäume. Desmond Castle kann nur mit einer Führung besichtigt werden, die Sie vorab im Adare Heritage Centre buchen müssen.

231 E5
www.adareheritagecentre.ie
www.adaremanor.com
Desmond Castle Juni–Sept. tgl. 9.30–16 Uhr 10 €

43 Lough Gur

An diesem See in ruhiger, ländlicher Lage befindet sich eine der größten und am besten präsentierten archäologischen Stätten Irlands. Ein Informationszentrum, im Stil jungsteinzeitlicher Hütten erbaut und reetgedeckt, begleitet Sie durch die 6000 Jahre, die der Mensch hier gesiedelt hat. Es gibt Steinkreise (darunter den mächtigen Grange-Kreis mit 45 m Durchmesser) zu sehen, Gräber, eine Ringwallanlage, ein *crannog* (Inselfort) sowie die Fundamente mehrerer Hütten.

231 E4 www.loughgur.com
tgl. 10 bis mind. 16 Uhr
5 € (Visitor Centre)

44 Limerick

Die drittgrößte Stadt der Republik (S. 195) lohnt wegen ihres hübschen Zentrums einen Besuch. Den interessantesten Teil bildet der georgianische Newtown Pery mit rechtwinkligem Straßenraster, im 18. Jh. von dem Politiker Edmund S. Pery initiiert. Hier liegen das mustergültig restaurierte Georgian House und die City Gallery of Art, aber auch die O'Connell Street als wichtigste Einkaufsmeile. Das Hunt Museum im ehemaligen Zollhaus in der Rutland Street zeigt eine bedeutende Sammlung sakraler Kunst des Mittelalters, feiner Antiquitäten und archäologischer Fundstücke.

231 E5 www.limerick.ie

Wohin zum … Übernachten?

Preise für ein Doppelzimmer pro Nacht:
€ unter 70 Euro
€€ 70–130 Euro
€€€ über 130 Euro

BEARA

Mossie's €€€
Das charmante Landhaus liegt an der Südseite der malerischen Beara-Halbinsel mit Blick auf die Bucht von Bantry. Das ehemalige Presbyterium bietet luxuriöse Zimmer mit Stil und Komfort. Auch eine komplett (und bequem) ausgestattete Ferienwohnung kann gemietet werden.
230 C2 Ulusker House, Trafrask, Adrigole, County Cork
027 606 06 www.mossies.ie

CORK CITY

Garnish House €€
Das hübsche, kleine Gästehaus mit farbenfrohen Blumenkästen liegt nur fünf Minuten zu Fuß vom Stadtzentrum entfernt. Einige Zimmer sind mit Jacuzzi ausgestattet, es gibt ein reichhaltiges Frühstück.
231 E2
1 Aldergrove, Western Rd., Cork
021 427 51 11 www.garnish.ie

Hayfield Manor Hotel €€€
Obwohl noch relativ neu, hat dieses anziehende Hotel im Universitätsviertel, kaum 2 km vom Stadtzentrum entfernt, das Flair eines historischen Gebäudes. Es liegt inmitten weitläufiger Gärten und besitzt Bar und Restaurant, beide mit Blick auf einen Garten. Die Zimmer sind stilvoll mit Antiquitäten und marmornen Bädern ausgestattet.
231 E2 Perrott Ave., College Rd.
021 484 59 00 www.hayfieldmanor.ie

Leonardo Hotel Cork €€–€€€
Dieses Hotel am Fluss bietet keinen Zimmerservice, dafür können bis zu vier Personen zum gleichen Preis übernachten. Die Zimmer haben Telefon, TV, Tee- und Kaffeemaschine sowie Bad. Es gibt Privatparkplätze und die Möglichkeit, das Auto in einem nahen Parkhaus abzustellen.
231 E2 Anderson's Quay, Cork
021 494 30 00
www.leonardo-hotels.com

KINSALE

Trident Hotel €€€
Das Haus am Wasser aus den 1960er-Jahren hat eine der besten Lagen in Kinsale. Es ist gut geführt, gastfreundlich und komfortabel. Die Zimmer sind praktisch, aber ein wenig farblos; es gibt zwei Suiten mit eigenem Balkon und Blick auf den Hafen. Das Essen, sowohl im Etagenrestaurant als auch in der Wharf Tavern darunter, liegt in der Qualität deutlich über normaler Hotelkost.
231 E2 World's End, Kinsale
021 477 93 00 www.tridenthotel.com

KENMARE

Shelburne Lodge €€–€€€
Das schöne, alte Steinhaus am Rand von Kenmare wurde äußerst stilvoll eingerichtet. Neben dem eleganten Empfangsraum gibt es ein feines Esszimmer, wo ein köstliches

Hayfield Manor: modernes Haus, klassisches Flair

Frühstück mit hausgebackenem Brot und warmen Speisen serviert wird.
✢ 230 C2
✉ Killowen, Cork Rd., Kenmare
☎ 064 664 10 13
🌐 www.shelburnelodge.com
◐ Dez.–Mitte März geschl.

RING OF KERRY

Parknasilla Resort & Spa €€€
Das schlossartige Herrenhaus thront inmitten eigener Gärten an der Südseite des Ring of Kerry mit Blick auf die Kenmare Bay: eine Mischung aus Stil und Naturerleben. Zimmer mit Antiquitäten und Blumenschmuck sowie ein Wellness-Center mit Thermalbereich und Außenwhirlpools. Das Hotelrestaurant Pygmalion ist bekannt für neue irische Küche mit lokalen Zutaten. Zum Hotel gehört auch ein privater Golfplatz.
✢ 230 C3
✉ Parknasilla, Sneem, County Kerry
☎ 064 667 56 00
🌐 www.parknasillaresort.com

KILLARNEY

Arbutus Hotel €€–€€€
Der Klassiker der lokalen Hotelszene steht seit 1926 für stilvolle Unterbringung im Herzen von Killarney; typisch irische Atmosphäre, unterschiedlich gestaltete Zimmer, teilweise mit »four poster bed« und offenem Kamin. Mit eigenem Pub und diversen Lounges zum Teetrinken.
✢ 230 C3
✉ College St., Killarney, County Kerry
☎ 064 663 10 37
🌐 www.arbutuskillarney.com

DINGLE (AN DAINGEAN)

Castlewood House €€–€€€
Das persönlich geführte Boutiquehotel am Ufer der Dingle Bay verfügt über elegante, individuell eingerichtete Zimmer. Legendär ist das gehaltvolle Frühstück mit breiter Speisenauswahl: Säfte, Früchte, Müsli, Pancakes, Eiergerichte und deftiger Räucherhering.
✢ 230 B3 ✉ Castlewood House, The Wood, Dingle, County Kerry
☎ 066 915 27 88
🌐 www.castlewooddingle.com

Heaton's €–€€
Das Gästehaus liegt herrlich am Wasser mit traumhaftem Blick über die Dingle Bay. Cameron und Nuala Heaton sind liebenswürdige Gastgeber. Alle Zimmer haben ein eigenes Bad, die Mini-Suiten mit Jacuzzi. Tochter Jackie ist berühmt für ihr Frühstück, zu dem Räucherlachs, irischer Käse und Porridge mit Drambuie, braunem Zucker und Sahne gehören. Brot, Scones und Marmeladen sind selbst gemacht.
✢ 230 B3
✉ The Wood, Dingle, County Kerry
☎ 066 915 22 88 🌐 www.heatonsdingle.com
◐ 9.–27. Dez. geschl.

ADARE

Adare Manor €€€
»Ein Traum«, konstatierte selbst das luxusverliebte Vogue-Magazin. Nach millionenschwerer Renovierung und Erweiterung leuchtet das neogotische Manor House mit Spitzbögen und bleiverglasten Fenstern wieder in strahlend hellem Grau. Mit Antiquitäten und himmlisch komfortablen Sofas ausgestattete Salons, die sich über zwei Stockwerke erstreckende Great Hall, Freitreppen und offene Kamine, Sandsteinwände und poliertes Eichenparkett prägen das Innere. Ein gewaltiger Park umgibt Adare Manor, zu dem Irlands renommiertester Golfplatz gehört. Das Spa? Sowohl von den angebotenen Treatments als auch von der Gestaltung mit Naturstein und Olivenbäumchen ist es kaum zu übertreffen.
✢ 231 D5 ☎ 061 60 52 00
🌐 www.adaremanor.com

Dunraven Arms Hotel €€–€€€
Der Gasthof aus dem 18. Jh. im angeblich schönsten Dorf Irlands bietet eine entspannt ländliche Atmosphäre. Die Zimmer sind mit Antiquitäten bestückt. Ein Wellnessbereich gehört dazu; außerdem ist das Hotel ein beliebtes Quartier für

Sportferien – Golf, Angeln und Reiten. Gutes Essen in der Bar und den Restaurants.
231 E5 Adare, County Limerick
061 60 59 00 www.dunravenhotel.com

LIMERICK

No. 1 Pery Square €€€
Das komfortable Boutiquehotel in sechs aufwendig restaurierten georgianischen Gebäuden besitzt Gästezimmer mit Stilmöbeln oder modernem Ambiente und Blick auf einen Park. Serviceeinrichtungen: die Brasserie (moderne irische Küche) und ein Spa im Kellergeschoss.
231 E Pery Sq., Limerick
061 40 24 02 www.oneperysquare.com

Wohin zum … Essen und Trinken?

Preise für ein Essen (o. Getränke, Service):

€	unter 12 Euro
€€	12–25 Euro
€€€	über 25 Euro

CORK CITY

Greenes Restaurant €€–€€€
Küchenchef Bryan McCarthy steht für eine moderne irische Küche, zubereitet mit Erzeugnissen lokal ansässiger Bioproduzenten. Auch das Ambiente ist stimmig, ein gekonnt gestyltes, großes Lagerhaus aus dem 18. Jh. Probieren Sie als Vorspeise *Halibut & Dublin Bay Prawn Dumplings* (mit Heilbutt und Krabben gefüllte Teigtaschen), gefolgt von *Macroom Lamb* (Lammfleisch).
231 E2 48 MacCurtain St., Cork
021 455 22 79
www.greenesrestaurant.com
Mi–Fr 17–21, Sa/So 12.15–14.15, 17–21 Uhr

Jacques Restaurant €€–€€€
Dies ist ein beliebtes, mediterran gestimmtes Bistro, bekannt für ausgefallene Kreationen. Zu erwähnen sind Risottokuchen mit Wiesenpilzen und Lamm vom Spieß mit Kräuterkruste. Günstiges »Early Dinner« zwischen 17.30 und 19 Uhr.
231 E2
23 Oliver Plunkett St., Cork
021 427 73 87 www.jacquesrestaurant.ie
Mi–Sa 17–21.30 Uhr

Scoozi's €
Bagels und Pfannkuchen, Pizza und Lasagne, Burger und Cheesecake, Apple Pie und Ice Cream: Scoozi's ist seit über 20 Jahren ein großer Erfolg und an jedem Tag des Jahres geöffnet. Hier wird Fastfood serviert, das schmeckt und den Geldbeutel schont – bei den Corkonians beliebt. Nette Atmosphäre; eigene Karte für Kinder, für die es auch Malpapier und Stifte gibt.
231 E2 2–5 Winthrop Ave., Cork
021 427 50 77 www.scoozis.ie
Mo–Do 10–20, Fr/Sa 10–21, So 13–20 Uhr

UMGEBUNG VON CORK

Ballymaloe House €€€
Seit 1964 steht die Familie Allen an der Spitze einer Bewegung, die zum aktuellen kulinarischen Aufschwung in Irland geführt hat. Zwar haben globale Trends in der Küche dieses großzügigen, komfortablen Hauses Einzug gehalten, doch gilt noch immer eine Speisephilosophie, die erstklassigen Zutaten den Vorrang gibt. Unbedingt reservieren!
231 F2
Shanagarry, Midleton, County Cork
021 465 25 31 www.ballymaloe.ie
Onlinebuchung nötig

Blairs Inn €€
Das Pub in ruhiger Waldlage, nur fünf Minuten per Auto von Blarney entfernt, hat einen Garten am Fluss, außerdem lodernde Kaminfeuer in der Bar für kühlere Zeiten. Gute und traditionelle, hausgemachte Speisen unter Verwendung vorwiegend örtlicher Produkte sind in der Bar und im separaten Restaurant (eigene Karte) zu haben. Das ganze Jahr gibt es an Sonntagabenden und Montag von Mai bis Oktober Musik.
231 E3
Cloghroe, Blarney, County Cork
021 4 38 14 70 www.blairsinn.ie
Do 17–23.30, Fr 13–0.30, Sa 15–0.30, So 13–23 Uhr

Farmgate €–€€
Der Laden im vorderen Teil dieses Betriebs ist eine Werbung für lokale Produkte. Hinten im Restaurant, wo mit Fantasie gekocht wird, werden frisch gebackene Kuchen und Gebäck sowie vegetarische Gerichte geboten. Später wird das lebhafte Café zu einem seriösen Abendrestaurant. Ein tagsüber geöffneter Ableger, das Farmgate Café (Tel. 021 427 81 34), liegt am English Market von Cork.
231 F2
The Coolbawn, Midleton, County Cork
021 4 63 27 71 www.farmgate.ie
Do–Sa 10–22 Uhr

Longueville House und Presidents' Restaurant €€€
Diese elegante georgianische Villa liegt auf einem Hügel oberhalb des Flusses Blackwater. Farm, Fluss und Garten liefern viele Zutaten wie frischen Lachs, Lammfleisch und Wild, Obst und Gemüse. Die Küche gehört zu den besten Irlands.
231 E3 Mallow, County Cork
022 471 56 www.longuevillehouse.ie
Restaurant unbedingt reservieren, da Hausgäste bevorzugt Tische bekommen

KÜSTE VON WEST CORK

Bastion €€–€€€
Es ist ein Leichtes, in Kinsale, der Gourmet-Hauptstadt Irlands, gut und überteuert zu essen. Doch obwohl das Bastion zu den hiesigen Top-Adressen gehört, sind die Preise durchaus moderat. Zu Beginn lockt ein innovativ verfremdetes *Bacon & Cabbage*, das Carpaccio wird aus fangfrischem lokalen Fischen zubereitet, und auch die Hauptgerichte garantieren hohe Kochkunst.
Wer günstiger wegkommen will, kann von 17 bis 18.15 Uhr das »prix fixe«-Menü ordern.
231 E2 Market St., Ecke Main St., Kinsale, County Cork, P17 NX44
021 470 96 96 www.bastionkinsale.com
Do–So 17–23 Uhr

La Jolie Brise €
Durch die großen Fenster schaut man auf das Meer, das nautische Dekor schafft auch an trüben Tagen Atmosphäre und die

County Cork steht für Seafood und Muscheln.

servierten Salate, Suppen mit Gemüse (z. B. *parsnip* bzw. Pastinakensuppe) und diversen Pastagerichte sind günstig und gut. Dazu schenkt man Ihnen ein Glas Hauswein ein – und übernachten könnte man hier auch.
230 C1
The Square, Baltimore, County Cork
028 204 41
www.waterfrontbaltimore.ie
tgl. 12.30–22 Uhr

Mary Ann's Bar und Restaurant €€
Das Pub geht auf das Jahr 1846 zurück; die gegenwärtigen Inhaber haben es stilgetreu renoviert. Bestellen Sie eine Seafoodplatte mit Garnelen und Krebsfleisch aus der Castlehaven Bay, auch das selbst gebackene Sodabrot und die offerierten Rohmilchkäsesorten schmecken vorzüglich.
230 C1 Castletownshend, nahe Skibbereen, County Cork
028 3 61 46 auf Facebook
Bar tgl. 12–21; Restaurant Di–So 18–21 Uhr; eingeschränkte Zeiten im Winter

O'Connors Seafood Restaurant €€€
Das helle, familiengeführte Restaurant gilt als Institution in Bantry. Hier serviert man fangfrische Meeresfrüchte (täglich Miesmuscheln). Die Garnelen kommen frisch vom Kutter, Hummer und Austern direkt aus dem Frischwassertank.

⊹ 230 C2 ✉ Wolf Tone Sq., Bantry, Cork
☎ 027 556 64
⊕ www.oconnorseafood.com
◷ tgl. 9–21 Uhr

Scannells Bar €
Auch an kühlen Sommertagen glimmt ein Feuer im offenen Kamin, die Gäste erwärmen sich an einem heißen Irish Coffee. Ein Geheimtipp ist das vorzügliche Bar Menu, vor allem die hausgemachten Gemüsesuppen und frisch geräucherten Fischspezialitäten auf Brot. Wenn dann Livemusik erklingt, vergisst man schnell die Zeit.
⊹ 231 D1
✉ Connolly St., Clonakilty, County Cork
☎ 028 883 41 16 ⊕ www.scannells.ie
◷ Mo 16–23, Di–Sa 12–23, So 14–23 Uhr

KENMARE

Mulcahy's €€€
Leicht schummriges Restaurant mit relativ modernem Ambiente und einer gut bestückten Bar. Die Küche könnte man am ehesten mit »modern europäisch, irischer Einschlag« beschreiben – wohlschmeckend und immer frisch zubereitet.
⊹ 230 C2
✉ Main St., Kenmare, County Kerry
☎ 064 664 23
⊕ www.mulcahyskenmare.ie
◷ Di–Sa 17–22 Uhr

The Purple Heather €€
Das Bistro mit traditionellem Pub-Feeling bietet Bio-Salate, Omeletts, Sandwiches und Hausmacher-Puddings. Die Suppen sind selbst gekocht, die Brote frisch gebacken, der Orangensaft frisch gepresst.
⊹ 230 C2
✉ Henry St., Kenmare, County Kerry
☎ 064 664 10 16
⊕ www.thepurpleheatherkenmare.com
◷ Mo–Sa 10.30–18.30 Uhr

KILLARNEY UND RING OF KERRY

Cronin's €€€
Seit mehr als fünf Jahrzehnten landet hier klassische irische Küche auf dem Tisch: Fish & Chips, Shepherd's Pie und – natürlich – fangfrischer und geräucherter Lachs. Dazu trinkt man ein Murphy's. *Sláinte!*
⊹ 230 C3 ✉ College St., Killarney
☎ 064 663 09 03
⊕ www.croninsrestaurant.com
◷ Mo–Do 16–21, Fr–So 15–21.30 Uhr

Kate Kearney's Cottage €€
Von der Lage her, nämlich am Beginn des wilden Bergpasses Gap of Dunloe im Westen des Killarney National Park, könnte das weiß gekalkte, schon seit dem 19. Jh. bestehende Cottage eine Touristenfalle sein. Schlechtes Essen, überhöhte Preise? Mitnichten, auch die Einheimischen kommen am Wochenende, um unter den niedrigen Balkendecken in einem der zahlreichen, ineinander übergehenden Räumen ein Stout zu trinken. Abends gibt es häufig Traditional Irish Music.
⊹ 230 C3 ✉ Gap of Dunloe
☎ 064 664 41 46
⊕ www.katekearneyscottage.com
◷ Bar tgl. ab Mittag

DINGLE (AN DAINGEAN)

Lord Baker's €€€
»Lord Baker« war der erste Besitzer der Bar, der wohl ältesten in der Gegend. Serviert werden kleine Speisen am Torffeuer, das für eine gemütliche Atmosphäre sorgt.
⊹ 230 B3 ✉ Main St., Dingle
☎ 066 915 12 77
⊕ www.lordbakers.ie
◷ tgl. außer Do und So 17.30–21.30 Uhr

LIMERICK

Freddy's €€€
Nicht Freddy, sondern drei Schwestern betreiben das entzückende kleine Restaurant, eins der besten der Stadt. Untergebracht in einem liebevoll restaurierten Bruchstein-Stadthaus, serviert man Ihnen hier beste irische Küche und kleine, ausgesuchte Menüs.
⊹ 231 E5
✉ Theatre Lane, Lower Glentworth St.
☎ 061 41 87 49
⊕ www.freddysrestaurant.com
◷ Do–Sa 16.30–22 Uhr

Wohin zum ... Einkaufen?

CORK

Örtliche Produkte gibt es im English Market (Patrick St.), Antiquitäten rund um die Paul Street. In Shanagarry ist das Gourmetparadies Ballymaloe (www.ballymaloe.com) beheimatet, ebenso die Stephen Pearce Pottery (www.shanagarrypotters.com).

KINSALE

Bleikristall finden Sie bei Kinsale Crystal (Market St., www.kinsalecrystal.ie); Kunst bei der Boathouse Gallery (68 Main St., www.theboathousegallery.ie).

KENMARE

Handgewebte Woll- und Mohairdecken, Aran-Sweaters, Tweed-Jacken: Auf der N 71 von Killarney nach Kenmare thront auf dem Gipfel des Passes eine Filiale von Avoca Handweavers (Tel. 064 663 47 20). Danach können Sie im kleinen Café einen Tee und den Blick auf die Landschaft genießen.

KILLARNEY

Hochwertige Geschenke finden Sie im Mucros Craft Centre (Muckross House, National Park, Tel. 064 667 01 47) und im Bricin Craft Shop (High St., Tel. 064 349 02).

DINGLE (AN DAINGEAN)

An Gailearai Beag (18 Main St., www.angailearaibeag.com) ist eine Fundgrube für traditionelles Kunsthandwerk.

Wohin zum ... Ausgehen?

AKTIVITÄTEN IM FREIEN

Seafari in Kenmare (www.seafariireland.com) bietet Tierbeobachtungsfahrten in der Kenmare Bay an. Dingle ist Stützpunkt für Delfin-Beobachtung. Boote der Dingle Dolphin Boat Tours (www.dingledolphin.com) fahren regelmäßig ab Hafen.

ZUSCHAUERSPORT

Beliebt sind Pferderennen: Mallow (www.corkracecourse.ie) und Listowel (www.listowelraces.ie).

MUSIK

An Sommerabenden bieten Pubs Musik. Gute Treffs sind: The Spaniard in Kinsale, The Coachman's in Kenmare und The Danny Mann Inn in Killarney. Dingle ist der Ort für traditionelle Musik, besonders An Droichead Beag. Kontrastprogramm: das Guinness Cork Jazz Festival und das West Cork Chamber Music Festival.

Segelboote vor der Küste des County Cork

An der Nordküste oberhalb des Glenveagh National Park liegt Dunfanaghy auf der Westseite der Sheephaven Bay.

West- und Nordwestirland

Irlands wilder Westen, die Heimat von Träumern und Poeten – lassen Sie sich inspirieren und verführen.

Seiten 130–161

Erste Orientierung

Der Westen Irlands mag nicht so dicht mit dramatischen Bergen und wilden Halbinseln bestückt sein wie der Südwesten, doch dafür hat er etwas anderes: reine Magie.

Bemerkenswerte Landschaften fließen hier ineinander, jede vollkommen eigen und doch nur Teil des ganzen, bezaubernden Puzzles. Dazu gehören die nackten, grauen Karstfelder des Burren im County Clare, die sich im Frühling und Sommer mit Wildblumenteppichen schmücken; das abgelegene Connemara im County Galway mit seinem gebirgigen Herzen und einsamen Küsten; die drei windumtosten Aran-Inseln (Oileáin Árann) in der Galway Bay, wo Leben und Arbeit gemächlich vorangehen, und man die Erde vor dem Wegwehen mit Mauern schützen muss.

Die wundervolle Landschaft um die Clew Bay im County Mayo verbindet sanftgrüne Hügel und abweisende Berge, dazwischen vorgeschichtlicher Ackerbau. Überragt vom Croagh Patrick, Irlands heiligem Berg. Bleiben noch County Sligo – »Yeats Country« – und Donegal, Küstenland mit gezackten Rändern, wilden Hügeln und steilen Klippen, wo wenige Menschen weit voneinander entfernt leben.

Dies ist das Land, das den Dramatiker J. M. Synge und den Romancier Liam O'Flaherty, den Maler Jack Yeats und seinen Bruder, den Dichter W. B. Yeats, prägte. Und es inspiriert Musiker immer noch, denn hier wird mit die beste traditionelle Musik gespielt – von den sanft fließenden Weisen von Clare bis zu den lebhaften *reels* von Donegal. Hier können Sie Tourist spielen, etwa im Bunratty Folk Park in County Clare, Sie können aber auch ganz anders vorgehen und das einsame Schweigen der Nephin Beg Mountains suchen. Oder mit Betenden den Croagh Patrick erklimmen, die Königsklasse der irischen Pilgerrouten.

TOP 10

4 ★★ The Burren & Cliffs of Moher

Nicht verpassen!

45 Aran Islands

46 Connemara

47 West Mayo

Nach Lust und Laune!

48 Bunratty Castle & Folk Park

49 Craggaunowen

50 Clonmacnoise

51 Thoor Ballylee

52 Galway City

53 Strokestown Park House

54 Wild Nephin National Park

55 Céide Fields

56 Sligo

57 Southern Donegal

58 Glenveagh National Park

59 Inishowen

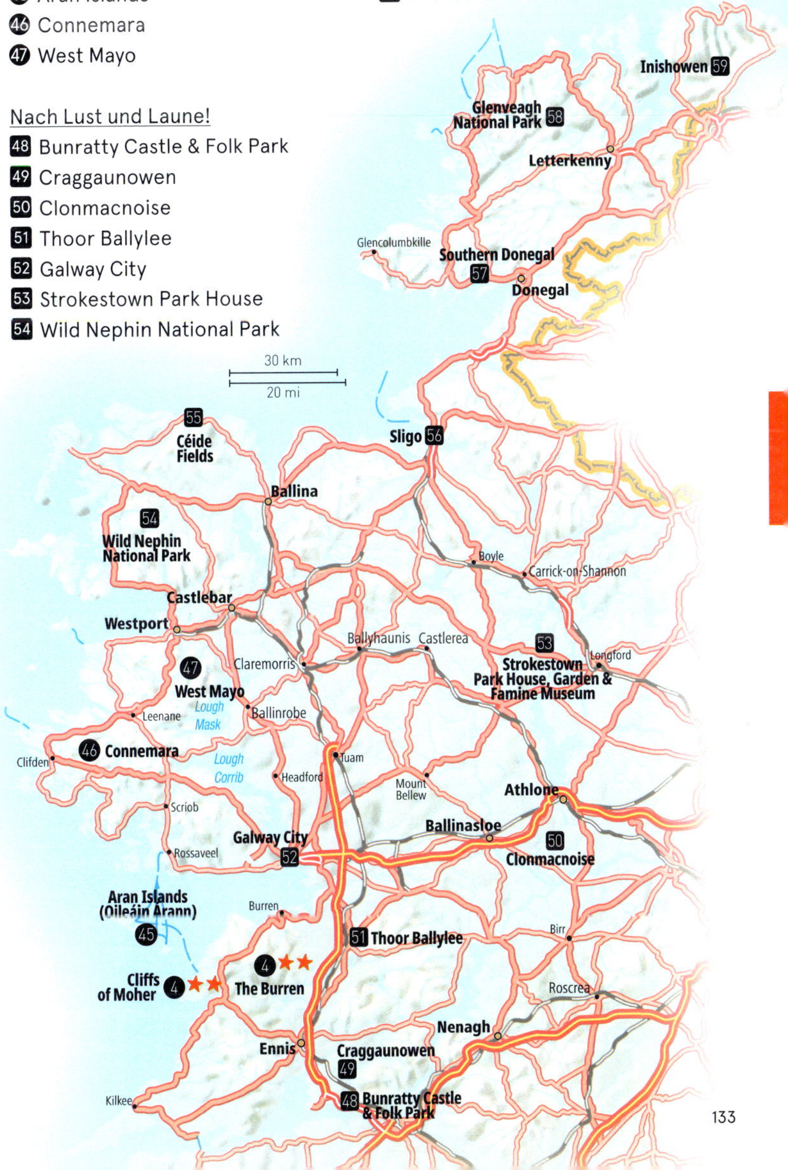

Mein Tag auf Inishmore

Lust auf Wind und Wellen, geheimnisvolles, ursprüngliches Inselleben? Dann brechen Sie auf zur größten der drei Aran-Inseln. Nah an der Küste, aber scheinbar Jahrhunderte entfernt, hier sind die Uhren noch analog.

8.30 Uhr: Der Sechs-Minuten-Flug

Vom winzigen Connemara Airport (S. 145) nahe Inverin starten Sie mit einer kleinen Zehnsitzer-Propellermaschine von Aer Arann zu den ㊺ Aran Islands (S. 143) – außer es ist zu stürmisch. Ein echtes Abenteuer. Kaum ist der Flieger in der Luft, geht es auch schon wieder runter. Steinmauern sind das, was zuerst sichtbar ist. Willkommen auf Inishmore, der »großen Insel«. Mit dem Shuttlebus geht's ins 2 km entfernte Kilronan.

10 Uhr: Ponykutsche oder Fahrrad?

Rushhour im Hauptort Kilronan: Pferdekutschen warten, wollen mit Ihnen über die Insel fahren. Sie können sich am Fähranleger aber auch ein Fahrrad mieten und selbst zum 7 km entfernten Dún Aonghasa (S. 144) fahren. Steinmauern prägen die Landschaft, unterwegs begegnen Sie nur ein paar Schafen.

Parken Sie am Besucherzentrum. Sehen Sie sich die Infotafeln an und nähern sich dem bronzezeitlichen Bauwerk: Seit über 3000 Jahren wacht das Steinfort über den Klippen. Rund 100 m fallen diese hier senkrecht ins Meer. Tief durchatmen! Am liebsten würde man die Luft in Flaschen packen und mitnehmen. Und dann dieser Blick: Kein Geländer behindert die Sicht in den ungesicherten Abgrund, gegen den die Wellen schlagen.

12 Uhr: Torffeuer unterm Reetdach
18.30 Uhr: Übersetzen
Casla
Rossaveel
Start/ Ende
Inverin
Connemara Airport
14.30 Uhr: Schiffe beobachten
8.30 Uhr
18.30 Uhr
5 km
3 mi
12 Uhr
14.30 Uhr
Inishmóre
Teach Nan Phaidi
Kilronan
Dún Aonghasa
Joe Watty's Bar
Pier House
10 Uhr
Landeplatz
Aran Islands
Inishmaan
45
An Tra
10 Uhr: Ponykutsche oder Fahrrad?
8.30 Uhr: Der Sechs-Minuten-Flug

Schön steil: Auf dem Weg vom Radverleih zum Fort sind 60 Höhenmeter zu überwinden (oben).

Auf Inishmore laufen die Pferde frei herum – wohin sollten sie auch entlaufen? (rechts)

12 Uhr: Torffeuer unterm Reetdach

Blumenkästen vor den Sprossenfenstern, ein Reetdach und drinnen wärmt unter niedrigen Balkendecken ein glimmendes Feuer. Einen besseren Ort für einen heißen Whiskey als das 1 km vom Fort entfernt elegene kleine Café Teach Nan Phaidi (Tel. 099 209 75) gibt es nicht. Je nach Jahreszeit sind Sie der einzige Gast oder umgeben von vielen Besuchern aus aller Welt. Draußen setzt leichter Regen ein, umso gemütlicher ist es drinnen. Sobald die Sonne wieder lacht, geht es zurück nach Kilronan.

14.30 Uhr: Schiffe beobachten

Bevor es TV und Internet auf der Insel gab, gehörte der Blick aufs Meer zum liebsten Zeitvertreib nach dem Pub-Besuch. Von der Terrasse des Pier House (www.pierhousearan.com), einem B&B mit Restaurant, schauen Sie auf den Hafen und

Und jetzt einen heißen Whiskey: im Café Teach Nan Phaidi nahe dem Fort

die ankommenden Boote. Seehunde tummeln sich im Hafenbecken. Spüren Sie die Ruhe, die die Inselbewohner ausstrahlen? Mit denen ins Gespräch kommen Sie in Joe Watty's Bar (www.joewattys.ie). Zu essen gibt's *Pub Grub* und frischen Fisch, einfach und köstlich zubereitet. Dazu schmeckt ein Glas Cider.

Wenn es stürmisch ist auf Inishmore – und das ist oft der Fall – ballen sich die Wolken am Himmel zusammen, der Wind peitscht die Gischt auf das Land und überzieht Bäume und Pflanzen mit einem feinen Salzkleid. In wetterfester Kleidung ist der Spaziergang am Meer dann ein Vergnügen der besonderen Art.

18.30 Uhr: Übersetzen

Nun ist es Zeit für die Abfahrt. Mit einem Boot der Aran Island Ferries geht's zurück.

Flüge von Connemara nach Inishmore
www.aerarannislands.ie
Hinflug: 5-mal tgl., z. B. 8.30, 10, 11.30 Uhr, Rückflug: z. B. 15.15, 16.15, 17.15 Uhr (Nebensaison seltener) 35 €

Fähre von Inishmore nach Rossaveel
www.aranislandferries.com
tgl. 17 Uhr, im Sommer auch 16, 18.30 Uhr
17 €

Aran Bike Hire
www.aranislandsbikehire.com

❹ ★★ The Burren & Cliffs of Moher

Warum?	Ein Meer von Wildblumen und ein Blick in die Unendlichkeit
Was?	Auf einer kargen Hochebene wandern und die Felswände über dem Atlantik bestaunen
Wann?	Zwischen Mai und Oktober
Wie lange?	Einen Tag
Was noch?	Pflanzenbestimmungsbuch (oder App) nicht vergessen
Was nehme ich mit?	Viel frische Luft in den Lungen, aber auch staubige Wanderschuhe und müde Beine

The Burren, das sind über 250 km² Hügelland im Nordwesten von Clare – fast ohne Wasser, weitgehend menschenleer und zum Großteil aus nacktem, grauem Karstboden bestehend. Doch gibt es in dieser kargen Einöde die schönsten Wildblumen, die herrlichste Musik, Hunderte von antiken Monumenten und eine wunderbare Küste, die in den mächtigen Cliffs of Moher kulminiert. Dazu kommt die ganz spezielle, gelassene Atmosphäre des County Clare. Diese Landschaft wartet nur darauf, von Ihnen entdeckt zu werden.

Fototour

Starten Sie in Ballyvaughan und folgen Sie der Küstenstraße R477 nach Doolin, das für seine Pubs mit traditioneller Musik bekannt ist, dann weiter zu den Klippen von Moher. Nehmen Sie danach die Straße nach Lisdoonvarna und Kilfenora, anschließend nach Corofin, und erleben Sie einige typische, stille Burren-Dörfer. In Kilfenora gibt es reich verzierte Hochkreuze zu bewundern und im ausgezeichneten Burren Display Centre erfahren Sie alles über die Geologie und Flora der Region.

Für den Weg zurück nach Norden empfiehlt sich die gut ausgebaute, aber gelegentlich kurvige R480 durch das Herz des Burren. Im Frühjahr und Sommer leuchten links und rechts die Wildblumenteppiche, parken ist aber schwierig. Die Highlights des Burren sind an einem langen Tag zu

Die mächtigen Klippen von Moher bieten ein einmaliges Panorama.

schaffen. Doch werden Sie ihn kaum wirklich kennenlernen, wenn Sie nicht wandern. Lassen Sie das Auto also ruhig einmal stehen, um diese zauberhafte Landschaft zu entdecken.

Blühende Gegenwart und steinerne Vergangenheit

Man muss kein Botaniker sein, um die Blütenpracht des Burren zu würdigen. Die Kalksteinflächen sind von tiefen Spalten durchzogen, von den Geologen *grykes* genannt. Diese sammeln Wasser, Sonnenlicht und Erdpartikel, wodurch sie zu idealen »Gewächshäusern« für die Pflanzen werden. Vor der Küste fließt der warme Golfstrom; das Sonnenlicht wird vom nackten Gestein in die *grykes* hineinreflektiert. Welche Faktoren hier auch letztlich maßgebend sind, der Burren entfaltet jedes Frühjahr ein Meer von Wildblumen, darunter Orchideen, Frühlingsenzian, Bergnelkenwurz, Augentrost, Blutroter Storchschnabel. Pflanzen, die normalerweise nicht zusammen vorkommen, finden sich hier Seite an Seite: säure- und kalkliebende, arktische, alpine, maritime, mediterrane. Farne, Moose und Flechten fallen auf. Frühling und Sommer im Burren – für Botaniker ist das ein Traum und für jeden Naturliebhaber ein Genuss.

Über das Land verstreut finden sich Monumente, die fünf Jahrtausende menschlicher Besiedlung bezeugen. Beeindruckend ist der alleinstehende Dolmen von Poulnabrone, dessen Stütz- und Decksteine wohl einst mit Erde bedeckt waren, ein künstlicher Hügel.

Gleninsheen bei Caherconnell und andere Keilgräber datieren von etwa 2000 v. Chr. Mit dem Christentum kamen die wunderbar verzierten Hochkreuze von Kilfenora, dann im 12. und 13. Jh. die Klosterstätte Dysert O'Dea im Süden und die Steinkunstwerke von Corcomroe Abbey im Norden dazu. Steinforts und Ringwälle bedecken die Hügel, zu deren Füßen befestigte Türme wie Newtown Castle (16. Jh.) bei Ballyvaughan und burgartige Bauten wie das verfallene Leamaneh Castle (17. Jh.) bei Corofin wachen. Die Gerippe alter Kirchen künden von den Verwüstungen durch Oliver Cromwells Truppen Mitte des 17. Jh.

Vorgeschichte wird im Burren sichtbar: Der Dolmen von Poulnabrone war wohl einmal eine Grabkammer.

Schöne Landschaft und eine gute Zeit

Man lernt den Burren am besten kennen, wenn man ihn ein paar Tage auf dem Burren Way, einem 114 km langen Fußweg von Lahinch nach Corofin, durchwandert. Sein aufre-

gendster Teil verläuft ohne Zweifel am Rand der Klippen von Moher im Südwesten. An ihrem höchsten Punkt ragen die mächtigen Felswände 214 m senkrecht aus dem Meer: eine große Touristenattraktion – und entsprechend häufig besucht.

Weitere grandiose Ausblicke bieten sich vom Corkscrew Hill, einem Abschnitt der N 67 südlich von Ballyvaughan, sowie an der gesamten schroffen Steilküste um Black Head. Es gibt außerdem die Aillwee Cave (Höhle) nahe Ballyvaughan und deren Stalagmiten und Stalaktiten zu besichtigen, Sie können aber auch zum magischen Hügel Mullaghmore ausweichen.

Die Wildblumen des Burren sind für jeden Naturliebhaber ein Genuss.

KLEINE PAUSE

In **Vaughan's** (www.vaughanspub.ie) oder **Linnane's** in Kilfenora und in der **Roadside Tavern** in Lisdoonvarna sind Reden und Lachen garantiert. Wenn Ihnen nach Singen zumute ist, dann ist **O'Connor's** (www.gusoconnorsdoolin.com) in Doolin zum Lunch das Richtige. Um gute Musik zu hören, gehen Sie in Doolin gegen 22 Uhr zu **McGann's** (www.mcgannsdoolin.com).

Cliffs of Moher
226 C/D2
www.cliffsofmoher.ie

Burren Centre Kilfenora
227 D2
www.burren.ie
www.burrengeopark.ie
März–Okt., Kernzeiten tgl. 10–17 Uhr; Tea Room tgl. 10–16.30 Uhr
6 €

Newton Castle
226 C2/D2
www.newtowncastle.com

Aillwee Cave
227 D2
www.aillweeburrenexperience.ie
nur Führungen, tgl. 10–17 Uhr
25 €

Magischer Moment

Balladen zur Nacht

Abends um Neun, vielleicht auch später, ist es so weit … in vielen Pubs werden Instrumente gestimmt, die Kehlen nochmal geölt, und dann setzt eine Session ein. Spontane Musik, die so viel ursprünglicher als das gewohnte Konservengedudel in den Souvenirgeschäften ist. Da wird der Pub mit Jigs und Reels in einen Hexenkessel verwandelt. Je tiefer die Provinz, desto besser. Aber am besten ist die Stille nach einer schwermütigen Ballade, sie ist unglaublich. Bitte keine Stecknadel fallen lassen …

㊺ Aran Islands (Oileáin Árann)

Warum?	Hier scheint die Zeit stillzustehen
Was?	Drei windumtoste, kahle Inseln, reich an Brauchtum und Herzlichkeit
Wie lange?	Für ein ungewöhnliches Weekend lang
Wann?	Am besten außerhalb der Saison, von Herbst bis Frühjahr
Was noch?	Historische und mystische Orte der Inseln aufsuchen
Was nehme ich mit?	Natürlich einen handgestrickten Aran-Pullover aus reiner, ungefärbter Wolle

Wie eine Flottille aus drei niedrigen, grauen Booten schwimmen sie in der Mündung der Galway Bay – die Aran-Inseln (Oileáin Árann), die keinem anderen Teil Irlands gleichen. Hier spricht man Irisch, benutzt die herkömmlichen schwarzen, lederbespannten Boote namens *currachs* zum Fischen, bewegt sich meist zu Fuß oder mit dem Fahrrad. Den Lebensrhythmus bestimmen Gezeiten und Winde.

Die Inseln sind nicht aus Galway-Granit, sondern aus Clare-Kalkstein, was bedeutet, dass sie im Frühjahr und Sommer einen prächtigen Blumenschmuck tragen. Unzählige Steinwälle ziehen sich verschachtelt über den Fels und teilen die Inseln in Hunderte winziger Felder. Teils sind sie Grenzmauern, teils sind sie aus der Notwendigkeit geboren: Man sammelte hier all die Steine, die zuvor mühsam aus den Äckern geklaubt wurden. Auch der Ackerboden, auf dem die besten Kartoffeln Irlands wachsen, wurde von Hand aus Sand, Seetang und Mist geschaffen. Das Leben auf diesen windumtosten, kahlen Felsen war hart – und ist es noch.

Inisheer und Inishmaan

Inisheer (Inis Oírr, von Doolin zu erreichen) liegt dem County Clare am nächsten und ist mit 586 ha Fläche die kleinste der Aran-Inseln; sie besitzt ein prächtiges Turmhaus aus dem 15. Jh., erbaut von einem Häuptling des O'Brien-Clans. Die mittlere Insel, Inishmaan (Inis Meáin), ist 948 ha groß und hat die wenigsten Einwohner, es ist ruhig.

Inishmore: Wenn es der irische Sommer gut meint, bieten die Aran Islands geradezu südliches Flair.

Inishmore

Inselliebhaber mit Zeit werden ihre Freude an Inisheer und Inishmaan haben. Die meisten Besucher kommen aber nach Inishmore (Inis Mór), mit 3090 ha die größte und am besten erschlossene der Aran-Islands. Sie können von Galway nach Rossaveel fahren und mit der Fähre nach Kilronan übersetzen (Fahrzeit: 40 Min.), der Flug mit Aer Arann Islands vom Connemara Airport (bei Galway-City) nach Inishmore dauert sechs Minuten.

Wissenswertes über die Aran-Inseln erfahren Sie im Heritage Center in Kilronan. Wichtigste Sehenswürdigkeit der Insel ist das auf einer Klippe thronende Fort Dún Aonghasa (Dun Aengus) mit seinen drei Befestigungsringen; die Insel weist jedoch weitaus mehr steinerne Relikte aus. Nehmen Sie sich Zeit zum Wandern, Reden, Zuhören und Staunen. Einen friedlicheren Fleck gibt es in Irland nicht.

KLEINE PAUSE

Joe Watty's freundliches Pub in Kilronan auf der Insel Inishmore ist ein gutes Ziel für den Lunch (S. 137).

---

i

226 C3
www.aranislands.ie
www.discoverireland.ie/west

Dún Aonghasa
Cill Mhuirbhigh, Inis Mór, Aran Islands
099 610 08

Jan.–März tgl. 9.30–16, April–Okt. bis 18, Nov./Dez. bis 16 Uhr
5 €
Die Stätte liegt ca. 1 km vom Besucherzentrum entfernt. Der Weg erfordert festes Schuhwerk und Vorsicht.

❻ Connemara

Warum?	Die wilde Schönheit liebte schon Oscar Wilde
Was?	Wandern, Klettern, Bergsteigen, Genießen
Wie lange?	Mindestens zwei, drei Tage
Wann?	Wenn der Sommerhimmel hoch über dem Land thront
Was noch?	Malachy beim Bau einer *bodhrán* zusehen
Was nehme ich mit?	Einige Brocken Irisch, von *fáilte* (Willkommen) bis *sláinte* (Prost!)

Im Nordwesten des County Galway schlägt das romantische Herzstück des Westens, ein strenges Land aus moorigen Feldern, buckligen Bergen und schroffen Küsten. Schulkinder aus Dublin kommen her, um Irisch zu lernen; wir anderen kommen wegen der wilden und schönen Landschaft. Aber das Leben hier ist rau. Die Einheimischen sagen es so: »Du kannst die Landschaft nicht essen.«

Nördlich von Galway erstreckt sich das weite Binnenmeer von Lough Corrib. Das Angler-orientierte Oughterard ist ein hübscher Standort für jemanden, der auf Forellen aus ist. Cong Abbey am Nordufer, ein feines, kleines Bauwerk aus dem 12. Jh., lohnt einen Umweg.

Westlich liegt Joyce Country, so genannt, weil ein Großteil der Bevölkerung zum Joyce-Clan gehörte. Hier ragen die Quarzitspitzen der Maumturk Mountains und, westlich davon, der großartigen Twelve Bens (Zwölf Nadeln) auf. Die wild-schöne und bestens zum Wandern geeignete Szenerie wird im Norden von Bergen begrenzt, die Killary Harbour säumen. Direkt an der N 59 liegt die schlossartige Kylemore Abbey aus dem 19. Jh., einst Landsitz eines Kaufmanns, heute gehört das Anwesen irischen Benediktinerinnen.

Die Twelve Bens erheben sich über dem Connemara National Park.

Der äußerste Westen

Westlich folgen wieder klassische Connemara-Landschaften, ein raues Land der weiten Moore, felsigen braunen Hügel und zahllosen kleinen Seen. Clifden, ein viktorianischer Ferienort, schmiegt sich kompakt in eine zerklüftete Meerenge, wo die Küstenstraße um Buchten kriecht und klettert. Folgen Sie der R341 Richtung Süden nach Roundstone und besuchen Sie Roundstone Musical Instruments, wo Malachy Kearns die besten *bodhráns* (Ziegenledertrommeln) der Welt herstellt. Fahren Sie weiter in Richtung Galway City. Zuvor nehmen Sie sich zwei Stunden Zeit, biegen bei Casla/Costelloe rechts aauf die R374 (Sackgasse!) und fahren auf die Inseln Lettermore (Leitir Móir), Gorumna (Garmna) und Lettermullen (Leitir Mealláin), auf denen noch irisch gesprochen wird.

KLEINE PAUSE

The Steam Coffee House in Clifden ist ein lebendiger Ort und preiswert. Im **O'Dowd's** Restaurant in Roundstone werden sehr gute Gerichte mit frischen Zutaten serviert.

Ein einsames Cottage im Connemara-Nationalpark

ℹ

⊹ 226 B/C4
🌐 www.discoverireland.ie/west

Beim Wortzauberer und Träumer

Kommen Sie im Dämmerlicht nach Drumcliff, um das bescheidene Grab des irischen Nationaldichters W. B. Yeats zu besuchen. Dann können sie nicht nur ungestört über das Epitaph nachdenken, das zum Weitergehen aufzufordern scheint. Und sich dann umdrehen, um das letzte über den Atlantik hereinkommende Abendlicht vom Ben Bulben reflektiert zu sehen. Erst dann nämlich spürt man einen Hauch der natürlichen Magie, die Yeats hier fand.

47 West Mayo

Warum?	Jeder Ire liebt Mayo
Was?	Pilgern auf den Croagh Patrick oder Genießen in Westport
Wie lange?	Können Sie den Rückflug noch umbuchen?
Wann?	Never out of season!
Was noch?	Schon mal etwas von Achill Island gehört?
Resümee	Westport – was für ein entzückendes Städtchen!

Das westliche Mayo ist eine der stimmungsvollsten Landschaften Irlands und hat sich dank seiner Abschirmung durch Berge und Moore den eigenen Charakter bewahrt.

Clew Bay und Westport

Kernstück der Region ist die breite Clew Bay mit ihren angeblich 365 Inseln. Ein paar Dutzend sind es gewiss – kleine *drumlins* (Moränenhügel) mit Grasrücken, die sich dem Land zuwenden. In der Mündung von Clew Bay liegt Clare Island, ein gutes Ziel für ein paar Tage ohne Hektik. Das Schiff legt am Roonagh Quay ab. Am Südstrand der Clew Bay erhebt sich der 764 m hohe, kegelförmige Croagh Patrick, Irlands heiliger Berg. Er ist Ziel vieler Pilgerfahrten und zugleich ein klassisches Wandergebiet (S. 198).

In der Südostecke der Clew Bay liegt Westport, eine Kleinstadt von großem Reiz und Charakter, gegen Ende des 18. Jhs. im Auftrag des Barons von Sligo planvoll angelegt. Westport House (1730–34) mit seinen schönen Möbeln und einer Gemäldesammlung ist einen Besuch wert, ebenso die hübschen Grünanlagen. Familienfreundlich, mit Vergnügungspark und Campingplatz. Aber die große Attraktion von Westport ist das Leben in der Stadt selbst – Klatsch, Story-Telling und Musizieren, in Bars und auf der Straße. Westport ist ein Zentrum für traditionelle irische Musik und richtet jährlich in Herbst ein Festival aus.

Draußen in der Nordwestecke von Clew Bay liegt Achill Island, ein großes zerklüftetes Gebilde, das durch eine Straßenbrücke über den Achill Sound mit dem Festland verbunden ist. Die gebirgige Insel ist die größte Irlands. Sie können (mit Vorsicht) die 688 m hohen Klippen von Croaghaun be-

Die Landschaft von Achill Island zieht seit jeher KünstlerInnen und Künstler an.

steigen; oder Sie schließen sich einer Bootsfahrt zur Nordwestspitze der Insel und ihren hohen Klippen an. Auskunft zur Bootsmiete erteilt das Touristenbüro in Westport.

Country Life Museum

In der Nähe von Castlebar befindet sich das einzige Nationalmuseum Irlands außerhalb von Dublin. Das National Museum of Ireland – Country Life beherbergt die nationale Folkloresammlung mit etwa 50 000 Objekten. Dieses eigens dafür errichtete Museum liegt auf dem Gelände von Turlough Park House, das seinerseits Besuchern einen Einblick in das Leben der Grundbesitzer ermöglicht.

KLEINE PAUSE

Halten Sie auf einen Drink bei **Matt Molloy's** (www.mattmolloy.com) in der Bridge Street von Westport – der Kneipe des legendären Folk-Musikers.

---

i

226 C4/5
www.discoverireland.ie/west

Westport House
226 C5 www.westporthouse.ie
Haus und Garten: März–Mai, Sept./Okt. tgl. 10–16, Juni–Aug. tgl. 10–18, Nov./Dez. Sa/So 10–16 Uhr 14,50 €

National Museum of Ireland – Country Life
227 D5
Turlough Park, Castlebar, County Mayo
www.museum.ie
Di–Sa 10–17, So/Mo 13–17 Uhr
frei

Vor Clonmacnoise breitet sich das Freizeitrevier des Shannon River aus.

Nach Lust und Laune!

48 Bunratty Castle und Folk Park
Günstig in der Nähe des Shannon Airport westlich von Limerick City gelegen, zielt dieser Komplex direkt auf Touristen. Abends finden »mittelalterliche« Bankette samt Stimmungsmusik in der Burg statt (Reservierung erforderlich) – ein toller Spaß, wenn man keine Authenzität erwartet. Auf dem Gelände ist ein »Irisches Dorf des 19. Jh.« zu besichtigen, in dem kostümierte Guides traditionelle Handwerkskünste zeigen. Kommen Sie am besten außerhalb der Saison, wenn Sie auf Menschenmassen verzichten mögen.

Die Burg selbst, etwa 1425 erbaut, ist gut restauriert und zeigt viele Tapisserien und schöne Möbel, von denen einige so alt sein dürften wie das Gebäude selbst.

227 E1
Bunratty, County Clare
www.bunrattycastle.ie
Bunratty Castle & Folk Park: tgl. 9–17.30 Uhr (letzter Zugang zur Burg 16 Uhr) ab 15 €

49 Craggaunowen
Die Anlage, 21 km nördlich von Bunratty an einem See gelegen, umfasst gut rekonstruierte keltische Gebäude. Zu diesen gehören ein *crannóg* (Pfahlhaus), ein Ringfort, Rundhütten und Grabstätten.

Auch das lederbespannte Boot Brendan, mit dem der britische Abenteurer und Historiker Tim

Severin 1976–77 von der Halbinsel Dingle aus nach Neufundland segelte, ist ausgestellt. Severin wollte damit beweisen, dass der irische Mönch Brendan im 6. Jh. Amerika erreicht haben könnte.

227 D1/2
Quin, County Clare
www.craggaunowen.ie
Ostern–Ende Aug. tgl. 11–17 Uhr (letzter Einlass 16 Uhr)
9,50 €

50 Clonmacnoise

Clonmacnoise, um 544 vom hl. Ciaran gegründet, war Dank seiner Lage an großen Handelswegen Irlands »Zentrum«. Mehrere irische Könige liegen dort begraben. Zur Anlage gehören zwei Rundtürme (der von einem Blitz beschädigte O'Rourke's Tower aus dem 10. Jh. und der fast vollständig erhaltene McCarthy's Tower von 1124), nicht weniger als sieben alte Kirchen und eine aus dem 14. Jh. stammende Kathedrale.

Von den drei beachtenswerten Hochkreuzen ist das reich verzierte »Inschriftenkreuz« *(Cross of the Scriptures)* das schönste: Das über 4 m hohe Kreuz, auch als »Great Cross« bekannt, datiert aus dem 10. Jh.

227 F3
an der R 444, nördlich von Shannonbridge, County Offaly
www.heritageireland.ie
tgl. mind. 10–17, im Sommer 9–18.30 Uhr
8 €

51 Thoor Ballylee

Ich, der Dichter William Yeats, mit
alten Brettern und meergrünem Schiefer
und Schmiedewerk aus der Schmiede von
Gort erneuerte diesen Turm für meine
Frau George.
Und mögen diese Lettern überdauern,
Wenn alles wieder in Trümmern liegt.

Die Inschrift am Thoor Ballylee erzählt knapp die Geschichte des mittelalterlichen Turmhauses, das W. B. Yeats um 1916 kaufte und zeitweise bewohnte (und über das er schrieb). Es ist heute ein Museum mit Memorabilien zu Yeats und Erstausgaben. Per Audioguide (in diversen Sprachen) wird die Geschichte lebendig. Schön ist auch ein Spaziergang am Fluss zu einer alten Mühle.

227 E2
zw. R380 und R458 nordöstlich von Gort, County Galway
www.yeatsthoorballylee.org
Ostern–Sept. s. Website
7 €

52 Galway City

Galway ist eine der am schnellsten wachsenden Städte in Europa und ein blühender Ort mit jugendlichem Flair. Das Galway Arts Festival gegen Ende Juli und die anschließenden Pferderennen sind gute Zeiten für einen Besuch. Alles in Galway ist auf den Eyre Square ausgerichtet, der aufwendig aufpoliert wurde; südlich und westlich davon konzentrieren sich Bars, Restaurants und Läden. Das 2006 eröffnete

»The Skeff Bar« am Eyre Square ist eins der größten und schönsten Pubs in Galway.

Galway City Museum hinter dem Spanish Arch zeichnet anhand von Kunst- und Gebrauchsobjekten die örtliche Geschichte nach.

227 D3

Galway City Museum
Galway City Museum, Galway
www.galwaycitymuseum.ie
Di–Sa 10–17 Uhr frei

53 Strokestown Park

Sie brauchen einen guten halben Tag, um diesen faszinierenden Ort zu erkunden. Die große, weiße palladianische Villa, der man sich durch einen prächtigen Bogen nähert, entstand um 1660, wurde aber ca. 70 Jahre später umgebaut. Die Originaleinrichtung aus dem 18. Jh. ist erhalten. Tunnel verbargen einst das Tun der Diener vor den Augen der Familie Mahon, Besitzer von Strokestown. Es wurde sogar eine Galerie um die Küche gelegt, damit die Dame des Hauses das Geschehen beobachten konnte, ohne selbst gesehen zu werden.

Zur Hassfigur wurde Major Denis Mahon – schon fast bankrott wurde er während der Großen Hungersnot 1847 ermordet, nachdem er ihren Verpflichtungen nicht nachkommende Pächter schlicht nach Nordamerika verschiffte. Ein ausgezeichnetes, wenn auch beklemmendes Famine Museum im alten Stallhof beleuchtet die tragischen Ereignisse zu jener Zeit.

227 F5
Strokestown, County Roscommon
www.strokestownpark.ie
Museum und Garten tgl. mind. 10–16 Uhr, Hausführungen siehe Webseite ab 14,50 €

54 Wild Nephin National Park

Dieser rund 15 000 ha große Nationalpark mit über 700 m hohen Bergen und weiten Hochmoorflächen ist ein *work in progress* – er soll sich langsam in ursprüngliche Wildnis zurückverwandeln. Heute schon durchziehen »Irlands einsamste Gegend« nur wenige (aber lohnenswerte) Wanderpfade. Und der Nachthimmel hier ist bombastisch

... da es keinen Lichtsmog gibt. Milchstraßensicht garantiert, wenn keine Wolken ziehen.

> 222 C1
> Besucherzentrum im Ballycroy Village, Mayo
> www.nationalparks.ie/wildnephin
> März–Okt tgl. 10–17.30 Uhr
> frei

55 Céide Fields

Ein Besucherzentrum in Pyramidenform mit einer sehenswerten Ausstellung gehört zu dieser größten steinzeitlichen Agraranlage der Welt: 1500 ha ummauerter Felder, Einfriedungen, Wohngebiete und Grabstätten, 5000 Jahre alt und seit den 1970er-Jahren mühsam aus einem Flachmoor ausgegraben.

> 222 C2 Ballycastle, County Mayo
> 096 433 25
> www.heritageireland.ie
> April–Okt. tgl. 10–17 (Sommer 18) Uhr 5 €

56 Sligo

Der entzückende Ort steckt voller Geschichte und ist gut mit Restaurants und Pubs versehen. Bibliothek, Museum und eine Kunstgalerie (in der ehemaligen Presbyterianerkirche im Stil des Gothic Revival) enthalten Gemälde von Jack Yeats und Manuskripte von Gedichten seines Bruders William Butler Yeats: Die beiden verbrachten hier ihre Ferien (S. 200; Ausflug ins Yeats Country). Zur »Yeats Summer School« im August füllt sich Sligo mit Dichterfans. In der verfallenen Kirche des Dominikaner-

An den Ufern des Garavogue River rund um die Stephen Street schlägt Sligos Herz.

klosters (Sligo Abbey) sind herausragende Steinarbeiten zu sehen.

Weitere Attraktionen der Stadt sind die beeindruckende Galerie The Model (www.themodel.ie) sowie das Pollexfen House (Wine Street, Ecke Adelaide Street), ein eindrucksvolles dreistöckiges Haus aus Naturstein der Western Wholesale Company aus dem 19. Jh.

223 E2
www.sligotourism.ie

57 Southern Donegal

Donegal ist der Nordwestteil Irlands, durch den Westausläufer des nordirischen Fermanagh fast abgetrennt von der Republik, zu der es gehört. Doch wer eine raue und einsame Landschaft sucht und Zeit hat, sollte es nicht missen.

Besonders spektakulär ist die Südwestküste. Dort findet man rund 30 km westlich des Orts Donegal den Fischerort Killybegs mit entsprechender Industrie. Nebenstraßen, die tiefe Buchten umkurven, führen Sie in eine bunt gemischte Landschaft von heidebewachsenen Hügeln, schroffen Landzungen und Kiefernwäldern. Biegen Sie in Carrick (An Charraiag) links ab (Schild: »Teelin Pier«) und folgen Sie dem Hinweis »Bunglass: The Cliffs« zu einer steilen, abgesperrten Zufahrt. Sie gelangen zu einem dramatischen Aussichtspunkt hoch über den Klippen von Slieve League (Sliabh Liag), die sich etwa 600 m aus dem Meer erheben.

Die Hauptstraße zieht sich nun durch wildes Moorland zum winzigen Flecken Glencolumbkille (Gleann Cholm Cille), der sich als typisches Dorf der Gaeltacht-Region in ein kleines, grünes Tal unter Felsvorsprüngen duckt. Der hl. Columban, einer der Kirchenväter Irlands, der später auf die schottische Insel Iona ging, hatte hier ein Kloster gegründet. Entsprechend ist das abgelegene Tal voller Monumente, die seine christliche Vergangenheit bezeugen: Steinplatten und Säulen, in die Kreuze geschlagen sind, Steinhügel und frühchristliche Kapellen.

Glencolumbkille ist ein ausnehmend friedlicher und eindringlicher Ort. Über Ardara geht es auf der Bergstraße zurück nach Donegal Town.

223 E/F3

58 Glenveagh National Park

Natur-Fans kommen zum Wandern nach Donegal oder um im Glenveagh National Park einen der seltenen Steinadler zu erspähen. Das Visitor Centre finden Sie am Glenveagh Castle, einem trutzigen Kastell aus dem 19. Jh. im Baronialstil am Lough Veagh, erbaut von John George Adair um 1870. Er machte sein Vermögen als Profiteur der Großen Hungersnot. Möglich sind ausgedehnte Touren im Park oder organisierte Wanderungen.

Die Klippen von Slieve League

> 223 F4
> Churchill, Letterkenny
> www.glenveaghnationalpark.ie
> Besucherzentrum: März–Okt. 9–18, Nov.–Feb. 9–17 Uhr frei

59 Inishowen

In die nördlichste Spitze Irlands läuft die größte Halbinsel des Landes aus, die noch stärker isoliert ist als die südwestliche Küste Donegals. Nordöstlich des lebhafteren Partystädtchens Letterkenny passieren Sie das Grianan of Aileach in der »Taille« der Halbinsel, ein rundes, 5 m hohes Steinfort in beherrschender Lage auf einem Hügel, von dem man auf Lough Swilly herunterschaut. Das Grianan of Aileach wurde 1101 von Murtagh O'Brien, König von Munster, geplündert. Um 1870 wurde das Fort dann mit viel Aufwand rekonstruiert, wobei die historische Festung etwas anders ausgesehen haben mag. Von hier verläuft die Straße nördlich am Sandstrand von Buncrana entlang zum Moor- und Hügelland des nördlichen Inishowen.

Steigen Sie an der Spitze der Halbinsel auf den alten Signalturm von Malin Head und schauen Sie auf windgepeitschte Landzungen und eine See, die zwischen Ihnen und den Äußeren Hebriden 160 km weiter nördlich nichts duldet.

> 224 C5

Wohin zum ... Übernachten?

Preise für ein Doppelzimmer pro Nacht:
€ unter 70 Euro
€€ 70–130 Euro
€€€ über 130 Euro

THE BURREN

Gregans Castle €€€
Das abgelegene Hotel zwischen Ballyvaughan und Lisdoonvarna mag einem karg wie der Burren vorkommen, aber der erste Schein trügt. Tatsächlich bestimmen Wärme, Eleganz und Geruhsamkeit den Stil der Gemeinschaftsräume und luxuriösen Zimmer. Gäste von außen sind im Restaurant und zum Lunch oder Nachmittagstee im Corkscrew Room (Korkenzieherraum) willkommen. Bei schönem Wetter kann man draußen beim Rosengarten sitzen.
227 D3
Ballyvaughan, County Clare
065 707 70 05
www.gregans.ie
Restaurant Di–So 18–20.30 Uhr, tgl. Lunch 12.30–14.30 Uhr, Afternoon Tea Sa/So; Nov.–Mitte Feb. geschl.

Temple Gate Hotel €€–€€€
Das Hotel im Zentrum von Ennis diente einst als Herrenhaus und später als Kloster. Die 73 Zimmer sind klassisch, aber funktional eingerichtet, sie haben hübsche Bäder. Ein Restaurant und ein Pub mit Musik am Wochenende sind vorhanden.
227 D2
The Square, Ennis, County Clare
065 682 33 00
www.templegatehotel.com

GALWAY UND UMGEBUNG

Ardilaun House Hotel €€–€€€
Das gut geführte Haus liegt etwa fünf Autominuten vom Stadtzentrum entfernt in waldigem Gelände. Es verfügt über elegant möblierte Gemeinschaftsräume und nett eingerichtete Zimmer, die teilweise Blick auf die Bucht bieten. Außerdem besitzt das Hotel ein Hallenbad und Spa.
227 D3 Taylor's Hill, Galway
091 52 14 33 www.theardilaunhotel.ie
in der Weihnachtswoche geschl.

the g Hotel & Spa €€€
Das von Designer Philip Treacy ausgestattete geschmackvolle Haus in einem wenig charmanten Industrievorort von Galway war mit seinen knalligen Farben, riesigen Spiegeln und opulenten Lüstern lange Stadtgespräch. Die komfortablen Zimmer dagegen sind eher klassisch-schlicht. Für Erholung sorgt ein Spa, das keine Wünsche offenlässt.
227 D3 Wellpark, Galway
091 86 52 00 www.theghotel.ie

Leonardo Hotel Galway €€
Das preiswerte Hotel liegt perfekt am Fluss und nahe dem lebhaften Spanish-Arch-Bezirk in der City von Galway. Es ist eine einfache Unterkunft auf hohem Niveau. Die großen Zimmer (für bis zu vier Personen) haben hübsche Bäder, TV und Telefon – es gibt jedoch keinen Zimmerservice.
227 D3 Quay St., Galway
091 56 64 44
www.leonardo-hotels.com
Weihnachten geschl.

Mallmore House €€–€€€
Eine entzückende kleine Frühstückspension verbirgt sich hier in einem Landhaus, umgeben von hübschen Gärten. Sie liegt ein paar Kilometer außerhalb von Clifden, der »Hauptstadt« von Connemara, in einem schönen, wilden Teil des County Galway. Die Gastgeber sind freundlich, zugänglich und sehr hilfsbereit. Warmes Torffeuer und ein reichhaltiges Frühstück sorgen für einen guten Start in einen Tag voller Entdeckungen.
226 B4 Ballyconneely Rd., Clifden, County Galway
095 214 60 www.mallmore.com

ATHLONE

Hodson Bay Hotel €€€
Am Lough Ree und dem Athlone Golf Club gelegen, bietet dieses moderne Hotel einen

Rasul oder Country Life? Im Breaffy House in Castlebar können Gäste beides haben.

schönen Blick auf See und Insel. Zu seinen Annehmlichkeiten gehören Bootfahren, Fischen und ein gutes Freizeitzentrum. Die Zimmer sind in hellen, modernen Farben gehalten; alle notwendigen Extras sind vorhanden. Die Speisen im Restaurant L'Escale sind hervorragend.

✈ 227 F3 ✉ Hodson Bay, Athlone, County Roscommon
☎ 090 644 20 00
🌐 www.hodsonbayhotel.com

WESTPORT

Breaffy House €€–€€€

Ein stattliches viktorianisches Haus, umgeben von fast 40 ha landschaftlich gestalteten Gärten am Rand von Castlebar. Breaffy House ist nicht nur ein gutes, gemütliches Hotel, sondern hat auch ein Spa mit Schlamm- und Dampfbädern, Swimmingpools, Sauna, Tanzstudio und einer Vielzahl von Massagen und anderen entspannenden Anwendungen zu Ihrer Erholung. Wenn also das Wetter in Mayo nicht ganz so schön ist, können Sie Ihren Aufenthalt hier trotzdem genießen!

✈ 227 D5 ✉ Castlebar, County Mayo
☎ 094 902 20 33
🌐 www.breaffyhouseresort.com

The Wyatt Hotel €€

Es ist nicht zu übersehen: In leuchtendem Ockergelb dominiert dieses schöne Landhotel Westports Hauptplatz, Octagon genannt. Hier stimmt alles: von den behaglich designten Zimmern mit Boxspringbetten und Bädern mit Regenfallduschen bis zu den Lounges mit Sofas zum Lesen. Dazu kommen ein gutes Restaurant und die in ganz Westport beliebte Cobblers Bar.

✈ 226 C5 ✉ The Octagon, Westport
☎ 098 250 27 🌐 www.wyatthotel.com

SLIGO

Markree Castle €€€

Die beeindruckende große Treppe führt unter gotischen Spitzbögen in die große Halle, auf bleiverglasten Fenstern ist der Stammbaum der einstigen Besitzerfamilie Cooper dargestellt, die das im 17. Jh. erbaute, burgähnliche Schloss in der 10. Generation verkaufte. Bei der darauffolgenden fünf Millionen Euro teuren Renovierung wurden auch die 30 historischen Gästezimmer behutsam dem Zeitgeschmack angepasst, ohne ihre besondere Atmosphäre zu zerstören.

✈ 224 A2 ✉ Collooney, County Sligo
☎ 071 916 78 00
🌐 www.markreecastle.ie

DONEGAL

Kee's Hotel €€
Seit 1892 im Besitz der Familie Kee, ist dieses Hotel ein willkommener Ausgangspunkt für Touren durch das County Donegal. Die Zimmer nach hinten sind ruhiger, einige haben Blick auf die Blue Stack Mountains. Es gibt ein Wellnesszentrum mit Pool und Fitnessraum für Gäste und ein feines Abendrestaurant, genannt The Looking Glass, wo man franko-irische Gerichte genießen kann.
224 B4
Stranorlar, Ballybofey, County Donegal
074 913 10 18 www.keeshotel.ie

Wohin zum ... Essen und Trinken?

Preise für ein Essen (o. Getränke, Service):

€	unter 12 Euro
€€	12–25 Euro
€€€	über 25 Euro

THE BURREN

Hylands Burren Hotel €–€€
Dieser Familienbetrieb am Hafen von Ballyvaughan hat Kaminfeuer, bequeme Möbel und eine einladende Atmosphäre. Das Essen wird gelobt. Spezialitäten sind frisches Seafood direkt vom Hafen, Burren-Lamm, köstliches Biogemüse nebst Kräutern sowie örtlicher Bauernkäse.
227 D3
The Square, Ballyvaughan, County Clare
065 707 70 37 www.hylandsburren.com
Warme Küche tgl. 12.30–21 Uhr; 2. Jan.–2. Feb. geschl.

Monks Seafood Restaurant €€
Tradition hat die irische Pubatmosphäre von Monks in bester Lage an der Galway Bay. Und natürlich wird die *Clam Chowder* mit braunem Sodabrot serviert, während man ein großes Guinness zum Essen trinkt.
227 D3
Old Pier, Ballyvaughan, County Clare
065 707 70 59 www.monks.ie
tgl. 13–20, Fr–So 12–21 Uhr

GALWAY UND UMGEBUNG

Mc Donagh's €
Seit vier Generationen serviert man im bunt gestylten Stadthaus bestes Seafood, Fish & Chips. Dazu gibt's die Klassiker: *mushy peas* (Erbsenpuree) und *coleslaw* (Krautsalat mit Mayonnaise). Günstig und stets lecker.
227 D3 22 Quay St., Galway
091 56 50 01 www.mcdonaghs.net

Moran's Oyster Cottage €–€€€
Das idyllische, strohgedeckte Pub an der Galway Bay mit eigenen Austernbänken hat eine treue Fangemeinde. Das Seafood ist köstlich, die heimischen Austern – Saison von September bis April – sind ein Leckerbissen. Die gezüchteten Gigas-Austern sind sogar das ganze Jahr über zu haben, neben anderen Spezialitäten wie *chowder* (Muschelsuppe), Räucherlachs, Krebs-Sandwiches und Salaten.
227 D3
The Weir, Kilcolgan, County Galway
091 79 61 13
www.moransoystercottage.com
Di–So 13–23.30, Fr–So bis 0.30 Uhr, geschl. 23.–27. Dez.

White Gables €€€
Leicht gedämpfte Beleuchtung gibt dem Haus in der Hauptstraße von Moycullen, 8 km nördlich von Galway City, eine freundliche Atmosphäre. Die herzhafte Küche ist auf gute Qualität abonniert – mit Spezialitäten wie gebratener Ente mit Orangensauce. Das derzeitige At-home-Konzept schließt auch Lunch am Sonntag mit ein.
227 D3
Moycullen, County Galway
091 868 200 www.whitegables.com
Di–So 10–17, Fr 19.30 Uhr

CONNEMARA

O'Dowd's Seafood Bar and Restaurant €€
Die traditionelle Bar thront hoch über dem Hafen und hübschen Dorf Roundstone und hält neben ordentlichem Bier bartypische preiswerte Speisen bereit. Im Restaurant serviert man aufwendigere Gerichte wie

Fisch und Meeresfrüchte frisch vom Kutter. Im Coffee Shop bekommt man Irish Breakfast, Kaffee und diverse Tees mit den unvermeidlichen *scones* (Buttergebäck).
✢ 226 B4
✉ Main St., Roundstone, County Galway
☎ 095 358 09
🌐 www.odowdsseafoodbar.com
🕐 warme Küche 12–21.30 Uhr

Steam Coffee House €
Steam Coffee House ist ein idealer »Pitstop« in Clifden, wenn es auch mal unkompliziert und preiswert sein darf. Dort bekommen Sie Suppen, Sandwiches, Pudding, Eiscreme oder einfach nur eine Tasse Kaffee.
✢ 226 B4 ✉ Courtyard Shopping Centre, Clifden Station House, Clifden
☎ 095 306 00 🕐 Di–Sa 9–17 Uhr

WESTPORT

The Tavern Bar & Restaurant €€
Das in hellem Pink leuchtende Restaurant außerhalb von Westport, am Wild Atlantic Way gelegen, ist Treffpunkt für Einheimische wie Besucher, die das vorzügliche Essen schätzen. Probieren Sie z. B. die *Atlantic Seafood Chowder* (Fischeintopf) oder den mit Koriander-Limonen-Aioli servierten Kabeljau *(Fresh Atlantic Cod)*. Köstlich sind auch die Seafood Penne – Pasta, die mit Lachs und Muscheln in Sahne-Weißweinsauce serviert wird. Auch für einen Irish Coffee unterwegs ist das ein guter Stopp.
✢ 226 C5 ✉ Murrisk, Westport
☎ 098 640 60
🌐 www.tavernmurrisk.com
🕐 tgl. ab 12.30 Uhr

CAVAN

MacNean House and Restaurant €€€
Dieser vielfach ausgezeichnete Gourmettempel steht unter der Leitung von Spitzenkoch Neven Maguire, der in Irland aus dem Fernsehen und als Kolumnist des *Irish Farmers Journal* bekannt ist. Sorgsam zubereitete Gerichte aus lokalen Zutaten bilden die Grundpfeiler seiner ambitionierten Küche. Lange im Voraus reservieren!
✢ 224 B2
✉ Main St., Blacklion, County Cavan
☎ 071 985 30 22 🌐 www.nevenmaguire.com
🕐 in der Regel Di–Sa am Abend, aber nur mit Tischbestellung

SLIGO

Hargadon Bros €–€€
Das 1864 eröffnete Pub ist bereits irische Legende, vom unebenen Steinfußboden übers Torffeuer bis zu den antiken Bildern. Doch nicht nur am Tresen ist es gut auszuhalten, auch das bodenständige Essen kann sich sehen lassen. Vom Lammbraten und Ribeye Steak zum Rote-Bete-Salat mit gratiniertem Schafskäse und *Seafood Chowder* mit braunem Brot und irischer Butter.
✢ 224 A2 ✉ 4–5 O'Connell St., Sligo
☎ 071 915 37 09
🌐 www.hargadons.com
🕐 Di–Do 12–22, Fr/Sa 12–0.30 Uhr

Ordentliches Bier und preiswertes Essen gibt es bei O'Dowds oberhalb von Roundstone.

Fiddlers Creek €€
Gesundes Essen wird sowohl im Restaurant als auch in der behaglichen Bar serviert. Von einigen Tischen hat man einen schönen Blick auf den Fluss. Es werden Steak und Fischgerichte serviert, z. B. in Gewürzen marinierter, frischer Lachs, aber auch vegetarische Gerichte.
224 A2 ✉ Rockwood Parade, Sligo
☎ 071 914 18 66 ◑ Di–Sa 12.30–23 Uhr

DONEGAL

Cottage Bar €€
In der stimmungsvollsten Kneipe von Letterkenny heißt es Kopf einziehen, denn an der Decke hängen Omas Teetassen. Hier gibt's ein gutes kühles Bier und einen Biergarten.
224 B4 ✉ 49 Upper Main St., Letterkenny
☎ 074 912 13 38
◑ Mo–Do 10.30–23.30, Fr/Sa bis 0.30, So 12.30–23 Uhr

The Red Door Country House €€
Das gemütliche Restaurant am Lough Swilly ist seit Langem eine beliebte Adresse. Serviert werden große Portionen irischer Lachs, geräucherter Schellfisch, Filetsteak und Ente. Lassen Sie aber unbedingt Platz für einen köstlichen Nachtisch wie Streuselkuchen oder Reispudding.
224 B4/5
✉ Carrowmullin, Fahan, Inishowen
☎ 074 9 36 02 89 www.thereddoor.ie
◑ Do 17–20, Fr 17–21, Sa 13–21.30, So 12–20 Uhr

Wohin zum ... Einkaufen?

COUNTY CLARE

Ein großer Teil der hier verkauften Waren stammt aus der Region. Ennis lohnt einen Bummel durch wenig bevölkerte Straßen. **Custy's Music Shop** in Ennis (Cookes Lane, Tel. 065 682 17 27) ist der beste Ort, um Instrumente zu kaufen und aktuelle Infos zu lokalen Sessions zu erhalten. Im **Doolin Village Crafts Shop** (Fisher St., Tel. 065 707 46 33) in Doolin bekommen Sie eine große Auswahl an typisch irischen Strickwaren, auch hochwertige Aran-Pullover, ebenso wie Keramik lokaler Töpfereibetriebe und Souvenirartikel. 5 km östlich, im Kurort Lisdoonvarna, können Sie bei **Burren Smokehouse** (www.burrensmokehouse.com) erleben, wie der köstliche Atlantik-Lachs geräuchert wird. Zu kaufen gibt es diverse Sorten Bio- und Wildlachs ebenso wie Forellen, heiß bzw. kalt geräuchert, daneben auch irische Bauernkäse und hausgemachte Chutneys.

GALWAY

Judy Greene in Galway (Kirwan's Lane, www.judygreene.wixsite.com) bietet beste irische Keramik. An Samstagen ist der **Galway Market** an der St. Nicholas Collegiate Church Pflicht: Man bekommt hier alles, von Biogemüse bis zu Eingelegtem. Auch der gut sortierte **Kenny's Bookshop and Art Galleries** (Tuam Road, www.kennys.ie) neben der Kunstgalerie Kerry lohnt einen Besuch. Dort finden Sie auf fünf Etagen Bücher über Irland, vor allem antiquarische, dazu Drucke und Karten. **Claddagh Jewellers** (25 Mainguard St., www.thecladdagh.com) bieten eine große Auswahl an hübschem keltischem Schmuck.

CONNEMARA

Eine inselweite Berühmtheit: Malachy Kearns von **Roundstone Musical Instruments** (IDA Craft Centre, Roundstone) ist Bodhrán-Bauer. Die *bodhrán,* eine flache Handtrommel, bespannt mit gegerbtem Ziegenfell, gehört zu Irlands klassischen Musikinstrumenten und wird mit dem Schlagstock als Trommel gespielt. Seit etwa 45 Jahren werden von Malachy in meisterlicher Handarbeit *bodhráns* hergestellt und in alle Welt exportiert. Im Shop erhältlich sind auch Flöten, CDs und Souvenirs.

In Clifden finden Sie **The Celtic Shop and Tara Jewellers** (Tel. 095 210 64) mit Geschenken, Kleidung sowie irischem Gold- und Silberschmuck.

Praktisches Mibringsel: ein Aran-Pullover

Alles an einem Ort findet man in der Kylemore Abbey (Kylemore, Tel. 095 520 11) mit ihrem guten *craft shop* (Handwerksladen) und einem ausgezeichneten Restaurant. Handgewebte Tweeds und Decken kauft man gut bei Foxford Woollen Mills (Foxford, www.foxford.com); zu dem Komplex gehören ein Geschäft, ein Restaurant und ein Besucherzentrum. Dort können Sie erleben, wie früher in einer irischen Textilfabrik gearbeitet wurde. The Beehive auf Achill Island (Keel, Tel. 098 431 34) ist ein netter *craft shop* mit Restaurant, auch auf einen Kaffee kann man hier vorbeischauen Ebenfalls mit Café und Ausstellung lockt das Connemara Sheep & Wool Centre (www.sheepandwool centre.com) in Leenaun am Killary Harbour, ein Einkaufsparadies in Sachen Wolle.

SLIGO UND DONEGAL

Die Countys Sligo und Donegal sind berühmt für Pullover, Tweeds und parisches Porzellan (so benannt nach dem ähnlichen Marmor von der griechischen Insel Paros). Gute Adressen sind das Donegal Craft Village (Tel. 074 972 22 25), zu Fuß fünf Minuten vom Stadtzentrum, und Magee's (Donegal City, Tel. 074 972 26 60), bekannt für Tweed. In und um Ardara, Herz der Tweed- und Strickwarnproduktion der Gegend, finden sich einige Läden, die das vor Ort Produzierte verkaufen.

Wohin zum ... Ausgehen?

MUSIK

Zahlreiche Pubs organisieren oder improvisieren Musik-Sessions. Probieren Sie Cruise's (Abbey St., Tel. 065 684 18 00) und Preachers Pub (Temple Gate Hotel, The Square, Tel. 065 682 33 00) in Ennis.

O'Connors (Tel. 065 707 41 68) in Doolin ist eines der wichtigsten Musiklokale, Vaughan's (Tel. 065 708 80 04) in Kilfenora ist bekannt für traditionellen Tanz und Musik.

Anfang Mai findet in Kinvarra ein Cuckoo Fleadh (Fleadh na gCuach) mit traditioneller Musik statt (www.galwaytourism.ie).

In den Kneipen von Galway spielen Livebands. Tigh Neachtain (Cross St., Tel. 091 56 88 20) ist eine der ältesten und besten in Sachen »Irish Folk«. Schauen Sie in der Crane Bar (2 Sea Rd., www.thecrane bar. com) oder bei Taffee's (Shop St., Tel. 091 56 40 66) vorbei.

Auch Westport ist für seine Musikpubs berühmt. Im Donegal findet im August das Ballyshannon International Folk Festival (www.ballyshannonfolkfestival.com) statt.

AKTIVITÄTEN IM FREIEN

Die Region eignet sich für schöne Ausflüge, Golf, Radeln, Reiten und Pferderennen. Gesurft wird an den weiten Atlantikstränden wie Strandhill an der Sligo Bay – Brett und Anzug gibt es in der Strandhill Surf School zu leihen (www.strandhillsurfschool.com).

Eine besondere Wanderung können Sie nach Coney Island vom Cummeen Strand bei Ebbe unternehmen – 14 steinerne Säulen markieren einen 5 km langen Weg zur Insel. Unbedingt auf die Tiden achten, sonst wird es gefährlich. Infos unter: www.tide times.org.uk/sligo-harbour-oyster-island-tide-times.

Sicher ist sie ja, aber sie wankt. Sie brauchen also etwas Mut, um die Hängebrücke von Carrick-a-Rede zu überqueren.

Nordirland

Ein interessanter Mix: britische Lebensart, irischer Humor und großartige Orte. Und dazu der legendäre Giant's Causeway!

Seiten 162–189

Erste Orientierung

Wenn Sie diese Region erkunden, werden Sie merken, dass die landschaftlichen Reize und die Freundlichkeit der Menschen keineswegs an der Grenze plötzlich verschwinden – und man zwischen den Sehenswürdigkeiten plötzlich auf besseren Straßen fahren kann.

Als Gast in Nordirland sollte man über die Geschichte Bescheid wissen. Gewalt und Hass prägten bis Ende der 1990er-Jahre Denken und Handeln republikanischer Kräfte, die für ein vereintes Irland kämpften. Die extremen Loyalisten waren genauso benebelt. Diese Periode des bewaffneten Konflikts wurde bekannt als »The Troubles«. Erst das Karfreitagsabkommen von 1998 brachte Frieden. Damit ist der Optimismus nach Nordirland zurückgekehrt, es herrscht eine positive Atmosphäre in dieser wunderschönen Region.

Belfast hat seinen unerschütterlichen schwarzen Humor, ein vibrierendes Nachtleben und ein erstklassiges Nationalmuseum. Jenseits der Stadt kerben sich die Glens of Antrim als wunderbare, schluchtartige Täler hin zur Küste, an der der Giant's Causeway Staunen erregt, ein bizarres vulkanisches Phänomen an dieser spektakulären Klippenregion. Hangeln Sie sich über die Seilbrücke von Carrick-a-Rede – wenn Sie sich trauen. Wandern Sie durch die wilden

TOP 10

8 ★★ Küste von Antrim & Giant's Causeway

Nicht verpassen!

60 Belfast

61 Ulster-American Folk Park

62 Lough Erne

Nach Lust und Laune!

63 Old Bushmills Distillery

64 Downhill Demesne

65 Londonderry/Derry

66 Sperrin Mountains

67 Marble Arch Caves

68 Florence Court

69 Castle Coole

70 Navan Centre & Fort

71 Armagh County Museum

72 Mourne Mountains

Sperrin- oder Mourne Mountains, beobachten Sie Gänse und Watvögel am Strangford Lough südöstlich von Belfast oder kreuzen Sie auf dem großen Binnenwasserweg von Lough Erne zu Inseln voller alter Kirchen, Rundtürme und rätselhafter Steingravuren. Und reservieren Sie einen Tag für das aufgeschlossene, fröhliche Derry.

Mein Tag auf dem Land

So lässt sich das traditionelle irische Landleben auskosten: Steuern Sie kleine Dörfer an, besuchen Sie Kunsthandwerker und Grafen, die ihre Schlösser zahlenden Besuchern öffnen. Und lassen Sie sich zum Abschluss in einem gewaltigen Herrensitz bekochen.

9 Uhr: Nordirland, vom Wasser aus betrachtet

Wasser hat die Landschaft in Fermanagh geformt. Enniskillen (S. 181) thront im Zentrum der Seenplatte auf einer vom Erne umspülten Insel. Buchten, tief in das flache Land reichende Seitenarme und kleinste Inselchen machen aus dem 62 Lough Erne (S. 180) ein Labyrinth.

Nach einem kräftigen Frühstück im stilvollen Manor House Country Hotel (S. 169) in Enniskillen entführt Sie das Schiff »MV Kestrel« (S. 169) für 1,5 Std. in die faszinierende Seenlandschaft. Wasservögel schwimmen vorbei und mittelalterliche Burgen sichern die Wasserwege.

11 Uhr: Besuch beim Lord

Der legendären britischen TV-Serie »Downtown Abbey« um eine Adelsfamilie und deren Personal, können Sie in 69 Castle Coole (S. 185) nachspüren. Der 7. Earl Belmore überließ wegen ruinöser Erbschaftssteuern sein palladianisches Herrenhaus inmitten 800 ha fassender Ländereien an den National Trust. Die Familie nutzt nur noch das (sehr komfortable, keine Sorge) Gartenhaus des Anwesens. Auch die Inneneinrichtung und die Gemäldegalerien von Castle Coole sind weiterhin Familienbesitz.

Schauen Sie sich bei einer Tour durch das Haus auch die Servants Tunnels an: einst den Bediensteten

13.30 Uhr: Lunch im Cottage

9 Uhr: Nordirland, vom Wasser aus betrachtet

11 Uhr: Besuch beim Lord

17 Uhr: Sich den Wind um die Nase wehen lassen

19 Uhr: Blick in die Kochtöpfe

Castle Coole ist auch eine gute Gegend zum Wandern. Das prächtige Herrenhaus aus dem 18. Jh. gehört heute dem britischen »National Trust for Places of Historic Interest or Natural Beauty«.

von Castle Coole vorbehaltene, unterirdische Gänge von und zur gewaltigen Küche im Untergeschoss des Schlosses. Sie sorgten dafür, dass die vielen dienstbaren Geister für die Herrschaft unsichtbar agieren konnten.

13.30 Uhr: Lunch im Cottage

Entlang des Lower Lough Erne fahren Sie eine Autostunde zum Dörfchen Belleek (S. 180). Steuern Sie geradewegs den Thatch Coffee Shop (tgl. 8–15 Uhr) in der Main Street an, sozusagen das Sahnehäubchen des süßen Dorfes. Danach steht die legendäre Belleek Pottery (S. 180, 182) auf dem Programm. Schon die Lords of Belmore orderten da Geschirr. Das Fabrikgebäude? Sieht aus wie ein Herrenhaus, und drinnen geht's zumindest im Foyer herrschaftlich zu. Nach der Tour – und vermutlich um ein paar Tassen mit typisch irischem Design reicher – fahren Sie wieder zurück.

17 Uhr: Sich den Wind um die Nase wehen lassen

Über Rosscor gelangen Sie entlang der Lough Shore Road (A46) zum Aussichtspunkt der Cliffs of Magho. Es öffnet sich von diesem Steilhang eine wilde, wunderschöne Naturlandschaft, die Teil eines UNESCO-Geoparks ist. Vom Wanderparkplatz führt ein (steiler) Fußweg zum Aussichtspunkt. An klaren Tagen genießen Sie einen Ausblick bis zu den Klippen von Slieve League.

Die Cliffs of Magho lohnen einen Spaziergang (links oben). Belle Isle Castle ist eine beliebte Unterkunft (links). In der Belleek Potter entsteht seit 1857 Porzellan (oben).

19 Uhr: Blick in die Kochtöpfe

Lord Nicholas Hamilton ist Herr über diesen riesigen Besitz: Zum efeubewachsenen Schloss Belle Isle Castle gehören 200 ha Park und Weideland sowie Nordirlands schönste Kochschule. Im Bistro können Sie biologisch angebautes Gemüse aus dem Gemüsegarten, Wild aus den Wäldern von Belle Isle sowie Lamm- und Rindfleisch vom Gutshof genießen (mit Reservierung). Anschließend möchten Sie gar nicht mehr weg? Dann quartieren Sie sich in einem der Schlosszimmer (mit Himmelbett) oder im historischen Kutscherhaus ein!

ⓘ

224 B2/3
Länge: 81 mi = 130 km, ca. 3 h Autofahrt

Manor House Country Hotel
✉ Killadeas, Enniskillen
🌐 www.manorhousecountryhotel.com

Erne Tours
✉ Round O Jetty, Enniskillen
🌐 www.ernetours.com
ab £ 12

Belle Isle Castle
✉ Lisbellaw, Enniskillen
🌐 www.belle-isle.com

8 ★★ Küste von Antrim & Giant's Causeway

Warum?	Eine surreale Erinnerung an eine Episode vor 60 Millionen Jahren (oder an Led Zeppelin)
Was?	Zigtausende von vulkanischen Puzzleteilen am Meer
Wann?	Mit den Strahlen der aufgehenden Sonne
Wie lange?	Solange die Inspiration dauert
Was noch?	Natürlich die Hängebrücke
Was nehme ich mit?	Den Hauch von Unvergänglichkeit ... und garantiert vom Wind zerzauste Haare

Die Küste von Antrim ist Nordirlands bedeutendste landschaftliche Attraktion, der Giant's Causeway ist Highlight und Sahnehäubchen. Doch steuern Sie nicht geradewegs die berühmte Hinterlassenschaft vulkanischer Aktivität an; lassen Sie sich Zeit und genießen Sie die Fahrt durch wilde Täler und auf einer spektakulären Küstenstraße.

Die Glens of Antrim

Nehmen Sie die Coast Road (A2) von Larne nach Carnlough, wo Ihnen die Klippen einen Vorgeschmack geben auf das, was noch kommt. Auf den nächsten 16 km klammert sich die Straße an steile Hänge in Ufernähe und wendet sich dann bei Waterfoot zur Red Bay. Hier ist die Abzweigung zum Glenariff Forest Park, der spektakulärsten der Schluchten *(glens)*, die Flüsse in den Basalt geschliffen haben. Das Tal ist von Granitklippen umschlossen, über die nach Regen Wasserfälle stürzen. Fahren Sie zum Parkplatz des Glenariff Forest Park Visitor Centre in den Bergen hinauf. Von hier aus zweigen markierte Wanderwege ab: u. a. ein herrlicher 5 km langer Waterfall Trail, der Sie an einige Sturzbäche heranführt.

Wieder auf der Küstenstraße, passieren Sie das schmucke kleine Cushendall. Wenn Sie ab hier der A 2 landeinwärts folgen und bald links abbiegen, können Sie über Nebenstraßen im Bogen über Ossian's Grave den Glenaan hinauf- und durch den lieblichen Glendun wieder zur Küstenstraße hinunterfahren. Von Cushendun können Sie – alternativ zur

So können Sie auch lachen – nach dem Queren der Hängebrücke von Carrick-a-Rede

A 2 – eine atemraubende Straße entlang der zauberhaften Küste über Torr Head nach Ballycastle nehmen.

Die Seilbrücke von Carrick-a-Rede

Der Weg zur Rope Bridge von Carrick-a-Rede ist ab Ballycastle gut beschildert. Die Seilkonstruktion mit Bretterboden – früher nur während der Lachsfangsaison geöffnet – kann heute ganzjährig begangen werden, sofern es das Wetter zulässt. Es sind gute 800 m und 161 Steinstufen vom Parkplatz bis zum Eingangstor zur Brücke, 25 m über dem Meer. Die Sicherheit der Brücke wurde durch eine Gitterkonstruktion »verbessert«.

Die Brücke ist der einzige Weg über den 20 m breiten Spalt, der zwischen der Klippe und dem vorgelagerten Basaltstock Carrick-a-Rede klafft. Der Name bedeutet »Fels-auf-der-Straße«, nämlich auf der Straße der Lachse, die auf dem Weg zu ihren Laichplätzen dem Fels seitlich ausweichen müssen; dabei geraten sie in ein Netz, das zwischen Basaltstock und einem Punkt im Meer gespannt wird. Das Überschreiten der Brücke ist ein schöner Nervenkitzel (kommen Sie früh oder spät, um Warteschlangen zu vermeiden) – aber, ehrlich gesagt, auch nicht unbedingt ein Muss.

Giant’s Causeway

Sie fahren ein kurzes Stück die Küste hinunter, dann türmen sich die Klippen fast 100 m hoch um eine Reihe felsiger Buchten. Der Causeway (= Damm) selbst wird aus rund 40 000 meist sechseckigen Basaltsäulen gebildet, die in einer schmaler werdenden Ebene zum Meer hin abfallen. Die Säulen entstanden, als sich Lava vor etwa 60 Mio. Jahren abkühlte. Oben auf den Klippen über der Bucht gibt es weitere Formationen. Die spektakulärste, The Giant’s Organ, erreicht man über einen Fußpfad: ein Ensemble von »Orgelpfeifen«, die zu 12 m hohen Säulen verwittert sind.

Was den Riesen betrifft, so war hier der mythische Riese Fionn Mac Cumhaill (Finn McCool) am Werk: Der schuf sich, der Sage nach, den Damm als Trittstein zur Hebrideninsel Staffa, wo seine Geliebte wohnte ... Das gesamte Ensemble sollte man allerdings mit etwas Muße betrachten, denn die Faszination erschließt sich nicht beim einfachen Hin-und-Weg-Abhaktourismus. Nehmen Sie sich Zeit, setzen sie sich auf dem Causeway hin und sinnieren Sie über die Naturgewalten. Wetterfeste Kleidung ist von Vorteil.

Am besten erleben Sie den Giant’s Causeway in Randzeiten, wenn der Touristenstrom abgeebbt ist, früh am Morgen, spät am Abend, oder bei eher unfreundlichem Wetter. Aber Achtung bei Sturmflut, denn da verschwinden weite Teile der Basaltformationen schlicht unter dem Wasser, auch wenn das Naturschauspiel ansonsten herrlich sein kann.

KLEINE PAUSE

Das **Causeway Hotel mit Restaurant & Bar** direkt am Giant’s Causeway bietet Pub-Küche und einen Rückzugsort, wenn es draußen stürmt (www.thecausewayhotel.com).

---

i

225 E5
www.discovernorthernireland.com

Carrick-a-Rede Rope Bridge und Larrybane Visitor Centre
225 D5 an der B 15 zw. Ballycastle und Ballintoy
www.nationaltrust.org.uk
tägl. ab 10 Uhr (Onlinebuchung nötig) ab £ 13.50

Giant’s Causeway
225 D5
Giant’s Causeway Centre, 3,2 km nördl. von Bushmills
028 20 73 18 55 (Besucherzentrum)
www.nationaltrust.org.uk
ganzjährig
ab £ 13.50 (Besucherzentrum)

Eine Natursehenswürdigkeit von Weltrang: Giant's Causeway mit seinen Basaltsäulen frühmorgens ...

... und in der untergehenden Sonne (unten)

60 Belfast

Warum?	Reales Leben statt verstaubter Vorurteile
Was?	Mindestens Stadtzentrum und Universitätsviertel
Wie lange?	Ein, zwei Tage
Wann?	Eigentlich zu jeder Jahreszeit ...
Was noch?	Gigantische Ozeanriesen
Was nehme ich mit?	Typisch schwarzen Humor aus Belfast, heute als Souvenir erhältlich

Belfast stand immer in den Schlagzeilen, meist negativ. Noch heute kann man die Spuren des Nordirlandkonfliktes sehen, aber Besucher müssen nicht befürchten, sie seien hier nicht gern gesehen. Der Humor der Belfaster ist schwarz und bissig – auch eine Art, das Trauma zu bewältigen. Besuchern begegnet man jedoch nicht mehr mit tiefem Misstrauen, man hat aus der Not eine Tugend gemacht, bietet sogar Touren zu ehemaligen »Brennpunkten« an.

Sie werden überrascht sein, wie altmodisch diese Stadt der industriellen Revolution mit ihren Reihenhäusern aus roten Ziegelsteinen und prächtigen öffentlichen Gebäuden oft noch wirkt. Aber auch Neubauten fallen auf, die Belfast den Weg in die Zukunft weisen.

Das Stadtzentrum und die Goldene Meile

Viele Sehenswürdigkeiten im Stadtkern liegen nur Minuten auseinander. Beginnen und beenden Sie Ihren Rundgang im Crown Liquor Saloon (S. 188) in der Great Victoria Street; dieses sehr unterhaltsame viktorianische Pub, heute in der Obhut des National Trust, hat Fenster aus Buntglas, einen holzgeschnitzten Tresen, eine gekachelte Ladenfront und das feine Mosaik einer Krone vor der Tür.

Dem Crown gegenüber steht das Grand Opera House von 1895, einst vernachlässigt, jetzt aber mit allem Pomp und Glanz wiederauferstanden – mit Goldstuck und Holzarbeiten, prachtvollen Deckengemälden, und Logen, die von güldenen Elefanten mit Riesenrüsseln getragen werden – British Empire pur.

Scharfe Kanten: Wie ein dreifacher Schiffsbug wirkt die Fassade des Titanic Belfast Museum (oben). An der Queen's University sind heute rund 25 000 Studierende eingeschrieben (unten).

Die Great Victoria Street ist Teil der Goldenen Meile zwischen Rathaus und Uni, hier sind 80 Prozent der Bars und Restaurants der Stadt angesiedelt. Ganz oben liegt Donegall Square mit der beachtenswerten Linen Hall Library, einer altmodischen Bibliothek mit Tausenden von Regalen abgegriffener Bücher, einer prächtigen hölzernen Bogentreppe und einer Atmosphäre des »heiligen Schweigens« – nebst Members' Room und zünftigem Tea Room. Ganz in der Nähe befindet sich die prachtvolle City Hall aus dem Jahr 1906 mit ihrer herrlichen Kuppel. Der sie umgebende Park

Belfasts neue Waterfront

ist voller Statuen und Denkmäler, die auch wieder mehr das Empire und die Bindung an Großbritannien heraufbeschwören. Das Innere des Rathauses wirkt fast barock, mit drei Sorten Marmor in der Halle, einer zentralen Kuppel über den Galerien und einem Ratszimmer voll Holzschnitzereien, Buntglas und mit rot gepolsterten Bänken. Das gesamte Gebäude wurde umfassend renoviert und ist, neue Zeit eben, heute ganz frei für jeden Besucher zugänglich.

Das Universitätsviertel

Südlich des Stadtkerns – zehn Minuten mit dem Bus – steht die viktorianische, architektonisch an Oxford angelehnte Queen's University. Dahinter befindet sich Belfasts Botanischer Garten, ein stiller, grüner Fleck mit Hunderten Arten von Bäumen, einem prächtigen Palmenhaus und unter einem Glasdach aus den 1880er-Jahren einem 9 m tief gelegenem tropischen Garten.

Eine echte Schatzkammer ist da Ulster Museum, Nordirlands Nationalmuseum. Vorgeschichtliche Grabungsfunde, Gold aus den Wracks der Spanischen Armada, eine Ausstellung zu den »Troubles« sowie Kunst und Kunsthandwerk lassen Besucher staunen. Selbst die Ausstellung ägyptischer Mumien ist modern aufbereitet.

Am Hafen

Nördlich des Stadtzentrums an den Kais der Werften recken sich Samson und Goliath empor, zwei gelbe Riesenkräne, die an die einstige industrielle Macht und eiserne Kraft dieser höchst robusten Stadt erinnern. In dieser wurde auch die »Titanic« vom Stapel gelassen, der sich heute auf dem Gelände der Werft Harland & Wolff die weltweit größte Titanic-Ausstellung widmet. Dafür wurde eigens ein spektakuläres, 116 Mio. Euro teures Gebäude errichtet. Es beherbergt ein Erlebniszentrum, das Sie hautnah mit Geschichte und Konstruktion des Luxusliners verbindet.

Außerhalb des Zentrums

Verlassen Sie Belfast nicht, ohne ein paar Beispiele der großen Wandgemälde, oft die »Troubles« thematisierend, gesehen zu haben: im Westen, in der loyalistischen Shankill Road und der nationalistischen Falls Road, auch östlich des Flusses in der Short Strand oder Lower Newtownards Road. Mittlerweile kommen die Kunstwerke allerdings weitaus weniger martialisch daher.

Am östlichen Stadtrand von Belfast steht das imposante Herrenhaus Stormont, einstige und erneute Heimat des nordirischen Regionalparlaments.

KLEINE PAUSE

Kosten Sie im **Crown Liquor Saloon** (S. 188) *champ* – Stampfkartoffeln und Frühlingszwiebeln. Auch **Deanes at Queens** (www.michaeldeane.co.uk) eignet sich für einen Lunch.

ⓘ

225 E3
www.visitbelfast.com

City Hall
Donegall Sq.
028 90 32 02 02
Touren Mo–Fr 8.30–17, Sa 12, 14, 15, 16 Uhr
frei

Ulster Museum
Botanic Gardens
www.ulstermuseum.org
Di–So 10–17 Uhr
frei

Linen Hall Library
17 Donegall Sq. North
www.linenhall.com
Mo–Fr 9.30–17.30 Uhr frei

Botanic Gardens
Stranmillis Rd.
www.belfastcity.gov.uk/parksandopenspaces frei

Titanic Belfast
1 Olympic Way, Queens Rd.
www.titanicbelfast.com
wechselnde Zeiten, online prüfen
£ 24.95

61 Ulster-American Folk Park

Warum?	Miterleben, wie die Iren Nordamerika als neue Heimat für sich entdeckten
Was?	Emigration aus dem »Auld Country« direkt miterleben
Wie lange?	Zwei bis vier Stunden
Wann?	Am besten morgens um 10 Uhr
Was noch?	Handwerkern bei der Arbeit zusehen
Was nehme ich mit?	Das Wissen, dass nicht alle Iren als reine »Hungerleider« in die USA emigrierten

Diese Sammlung rekonstruierter Gebäude gibt einen guten Eindruck vom Leben im Irland des 18. und 19. Jhs., vom Ablauf der Emigration und verschiedenen Träumen und Karrieren der Auswanderer in Nordamerika. Das Freilichtmuseum besteht aus zwei Komplexen: Die »Alte Welt« dokumentiert das Alltagsleben in Ulster, die »Neue Welt« jenes in der neuen Heimat Amerika.

Alltagsleben in Ulster

In der Abteilung Ulster wandeln Sie zwischen Bauten, die von ihren Originalstandorten herbeigeschafft wurden. Dazu gehören eine Weberhütte mit eingebautem Webstuhl und ein katholischer Andachtsraum, in dem Katholiken schon zur Zeit der *Penal Laws* (die Rechte der Katholiken in allen Bereichen streng beschnitten) zu Andachten zusammenkommen konnten. Übersehen Sie nicht Castletown National School mit ihren bekritzelten Schulbänken – aber warten Sie, bis dort gerade eine Schulklasse herumschwirrt.

Hier stehen auch die bescheidenen Heimstätten zweier Emigranten, die in Nordamerika besonders erfolgreich waren: Richter Thomas Mellon, der 1818 auswanderte und dessen Sohn Andrew Mellon die Stahlindustrie in Pittsburgh begründete, und John Joseph Hughes, Erzbischof von New York und Begründer der dortigen St. Patrick's Cathedral. Bei der Eröffnung des Folk Park 1980 war der Stifter Matthew T. Mellon dabei. Er beeindruckte die Festgäste mit Berichten über seine Gespräche als Kind mit seinem Urgroß-

vater, der ihm von den Schrecken der dreimonatigen Atlantiküberfahrt im Jahr 1818 erzählte.

Eine Zeitreise in die vergangeheit: Das Freilichtmuseum beleuchtet die Geschichte derjenigen, die das Land verließen.

Auf in die Neue Welt

Die Abteilung Amerika zeigt u. a. eine primitive Siedlerhütte aus dem Mittleren Westen der USA, eine Räucherkammer samt Scheune und ein Bauernhaus aus Pennsylvania, alle aus Baumstämmen gebaut. In der Sammlung zur Alten wie zur Neuen Welt informieren und unterhalten historisch kostümierte Guides, die Brot backen und Torffeuer schüren. Besonders gut getroffen ist die Rekonstruktion einer Straße in Ulster aus dem 19. Jh. – mit Postamt, Tuchmacherladen, Sattlerei, Seilmacher, Pfandleihe und Apotheke. Vom Buchungsbüro am Dock gelangen Sie über eine Planke in den dunklen Bauch eines Schiffes. Und auf der »anderen Seite des Atlantiks« landen Sie dann in einer typischen Kleinstadt.

KLEINE PAUSE

Im Café des **Visitor Centre** gibt es diverse Snacks.

---

224 C3
Mellon Rd., Castletown, Omagh, County Tyrone
0845 608 00 00
www.nmni.com/uafp

März–Sept. Di–So 10–17, Okt.–Feb. Di–Fr 10–16, Sa/So 11–16 Uhr (letzter Einlass 90 Min. vor Schließung)
£ 11.50

62 Lough Erne

Warum?	Besuchen Sie ein Gewässer, das eine ganze Welt für sich ist
Was?	Einer von Europas fischreichsten Seen
Wie lange?	Mindestens einen Tag, besser zwei
Wann?	Sobald die Morgennebel aufsteigen
Was noch?	Die umliegenden Schlösser besuchen
Resümee	Kein schlechter Altersruhesitz!

Fast ein Zehntel des County Fermanagh ist von Wasser bedeckt. Mitten durch das County ziehen sich die inselreichen Seen des Upper und Lower Lough Erne. Folgen Sie kurvenreichen Uferstraßen mit dem Auto, zu Fuß oder per Fahrrad. Oder mieten Sie sich ein Boot und kreuzen Sie ein paar Tage faul auf den verschlungenen Wasserwegen mit über 150 Inseln herum – eine höchst erholsame Art, Fermanagh kennenzulernen.

Seit der Shannon-Erne-Waterway, der den Upper Lough Erne mit Lough Allen (und dem Shannon) verbindet, wieder eröffnet wurde, ist es möglich, die 480 km von Belleek nach Killaloe auf Binnengewässern zurückzulegen.

Feines Porzellan

Belleek und seine berühmte Porzellanmanufaktur stehen am meerseitigen Ende des Lower Lough Erne. In der Belleek Pottery (S. 168) entsteht seit 1863 glänzendes Porzellan, und das fast auf die gleiche Weise wie früher und mit Werkzeugen, die die Arbeiter selbst anfertigten. Schlendern Sie durch die Fabrik und schauen Sie zu, wie die Handwerker ihr Rohmaterial – Kaolin, Feldspar und Fritte – in lange Schlangen ziehen und daraus vorsichtig die zarten Schalen und Platten aus Gitterwerk aufbauen, die sodann mit kleinsten, handgeformten Porzellanblüten verziert und vollendet bemalt werden. Natürlich können Sie nach der Führung ein Stück erwerben.

Der See und seine Inseln

In den irischen Legenden gibt es gleich drei Entstehungsgeschichten für den Lough Erne ... so eine magischen Quelle, die man vergaß, abzudecken. Oder ein paar Frauen, die sich in Wasser auflösten. Oder auch eine mystische Flut, in der ein Heer Feinde ersoff. Genau festlegen will man sich nicht, aber wunderbar war es.

Die ansehnliche Stadt Enniskillen, deren Burg seit dem 15. Jh, die Brücken bewacht, liegt auf einer Insel in der schmalen Passage zwischen Upper und Lower Lough Erne. Sie ist ein guter Ausgangspunkt für die Erkundung von See und Inseln. Neben landschaftlichen Schönheiten finden Besucher reiche Relikte der christlichen wie heidnischen Vergangenheit. Nach Devenish Island kommen Sie mit der »MV Kestrel«, einem Ausflugsboot (www.ernetours.com).

Lough Erne mit seinem Labyrinth aus Buchten und Halbinseln ist ein gutes Revier für Paddler (oben). Die handgefertigten Stücke der bekannten Porzellanmanufaktur Belleek Pottery sind beliebte Souvenirs (links).

Auf der Insel finden Sie die Ruinen einer Pfarrkirche aus dem 13. Jh., ein edles Hochkreuz, die schöne Ruine der St. Mary's Priory (1449) und einen gut erhaltenen Rundturm aus der Zeit um das Jahr 1160. Vom 25 m hohen Turm haben Sie eine wunderbare Sicht über die Insel. Ein kleines Museum erklärt die Anlage und die Geschichte dieser Klosterstätte, die im 6. Jh. von St. Molaise gegründet wurde. Ein friedvoller Ort mit eigenem Zauber!

Eine vorchristliche Aura umgibt den alten Friedhof von Caldragh auf Boa Island, zu der eine Brücke vom Nordufer des Lower Lough Erne führt. Hier ist eine viel fotografierte, eventuell noch vorchristliche, Janusskulptur, deren Gesichter in entgegengesetzte Richtungen blicken. Und noch heute legen an ihr Menschen Geld und Nadeln ab, um so Glück zu erheischen.

Auf White Island, das Sie mit der Fähre vom Hafen von Castle Archdale erreichen, stehen weitere rätselhafte Figuren: acht Statuen aus Stein, wohl über 1000 Jahre alt, die nebeneinander in eine Mauer gefügt wurden. Wahrscheinlich waren sie Teile eines ehemaligen Klosters. Eine hält eine Priesterglocke und einen Krummstab, eine andere fasst sich mit der Hand ans Kinn, eine weitere gilt als *sheela-na-gig*, eine Frau in einer die Vulva deutlich betonenden Pose. Man kann hier herrlich spekulieren, zu welchem Zweck die Statuen entstanden.

KLEINE PAUSE

Einfache Hausmacherkost wie Ofenkartoffeln, Quiche oder Salate bekommen Sie in den **Belleek Pottery Tea Rooms** (www.belleekpottery.ie/tea-room). Bei **Blake's Of The Hollow** (www.blakesofthehollow.com) – an der abschüssigen Church Street – wird die beste Musik und Gastlichkeit in Enniskillen geboten.

---

i

✢ 224 B2/3
🌐 www.fermanaghlakelands.com

Belleek Pottery
✢ 224 A3
✉ Belleek Pottery Visitor Centre, Belleek, County Fermanagh
🌐 www.belleek.com
🕐 Zeiten variieren, online prüfen
🎫 frei, Pottery Tour £ 6

White Island Ferry Service
☎ 028 68 62 18 92
🕐 nur Ostern, Bank Holidays, Juli/Aug.

Nach Lust und Laune!

63 Old Bushmills Distillery

In dieser ältesten lizenzierten Destillerie der Welt (1608), einem attraktiven Komplex von Steingebäuden und wie Pagoden wirkenden Türmen, entstehen einige der besten Malz- und Blended Whiskeys Irlands.

Man führt Sie zu großen, runden Kupferpfannen voll dampfender Maische, zu schwanenförmigen Brennblasen und einem Lagerhaus, wo aus Holzfässern der süße Geruch des verdunstenden »Anteils der Engel« strömt. Im Laden können Sie Ihren Whiskeyvorrat um eine edle Variante ergänzen.

225 D5
Bushmills, County Antrim
www.bushmills.eu
Laden Mo–Sa 10–16.45, So 11.30–16.45 Uhr, Touren nach Anmeldung
Touren ab £ 15

64 Downhill Demesne

Hoch über den Klippen von Downhill ließ gegen Ende des 18. Jh. der Graf von Bristol und Bischof von Londonderry seiner Bauleidenschaft freien Lauf. Mit wunderbarem Blick aufs Meer und den weiten Strand thront der Mussenden Temple, die klassische Rotunde mit Säulen und Kuppel diente dem Exzentriker als Bibliothek und zuweilen auch, so wird gemunkelt, für Schäferstündchen. In der Serie »Game of Thrones« war der Bau vom Strand aus zu sehen.

Landeinwärts steht die Ruine von Downhill House, selbst ohne Dach noch von beeindruckender Atmosphäre. Das Anwesen gehört heute zum National Trust.

225 D5
Mussenden Rd., Castlerock
www.nationaltrust.org.uk
tägl. 10–17 Uhr frei, aber Parkgebühr £ 7.50 pro Pkw

Was für eine Location! Im Mussenden Temple auf den Downhill Cliffs kann man auch heiraten.

65 Londonderry / Derry

Die Stadt mit ihrer pittoresken Mauer wird von Loyalisten Londonderry, von Nationalisten Derry genannt (von irisch *Doire* = Eiche). Durch die Politik lange gespalten, hat sie die schweren Unruhen der 1970er-Jahre überlebt und sich zu einer der fortschrittlichsten Städte Irlands entwickelt. Mit polilitisch-ethnisch segregierten Wohngebieten.

Die größte Attraktion ist der Rundgang auf den historischen Stadtmauern des 17. Jhs. (S. 204). Interessant sind auch das Tower Museum mit Ausstellungen über die Spanische Armada und *The Story of Derry*; die Guildhall (Rathaus, S. 206) aus dem 19. Jh.; St. Columb's Cathedral mit Zeugnissen der Belagerung 1688/89, als die protestantischen Bürger der Armee des Katholiken Jakob II. trotzten (S. 205); und ein Kunsthandwerksmarkt (Craft Village, Mo–Sa 9–18 Uhr) im Herzen der Altstadt.

224 C4
www.discovernorthernireland.com
Foyle Street
Waterside Station, Duke Street

Tower Museum
Union Hall Place
www.derrystrabane.com/tower museum Mo–Sa 9–17.30 Uhr
£ 4

Guildhall
www.guildhallderry.com
Mo–Fr 9–20, Sa/So bis 18 Uhr frei

66 Sperrin Mountains

Im An Creagán Visitor Centre in Creggan lernen Sie so manches über Geologie, Lokalgeschichte, Fauna und Folklore; im nahen Bächlein können Sie sogar Gold waschen. Herrlich ist es, durch die Sperrin Mountains zu streifen, die die Grenze zwischen Tyrone und Derry bilden. Selbst der höchste Gipfel

Farbenfroh zeigt sich das historische Derry in der Waterloo Street.

(Sawel, 678 m) ist mit Bergwanderausstattung leicht zu ersteigen.

224 C4 www.an-creagan.com

67 Marble Arch Caves

Der Eingang zu diesem spannenden System von halb überfluteten Höhlen liegt etwa 8 km westlich von Florence Court. Viele der Kammern mit Glitzerwänden und Stalaktiten sind zu Fuß zu besichtigen, mit Booten gelangt man zum Rest. Bei Hochwasser geschlossen!

224 B2
Marlbank Scenic Loop, Florence Court, Enniskillen, County Fermanagh
www.marblearchcaves.co.uk
wechselnde Zeiten, online prüfen
£ 15

68 Florence Court

Das Herrenhaus liegt tief im Wald, wenige Kilometer südwestlich von Enniskillen. Sein großer, quadratischer Mittelblock und die Flügelarkaden schauen auf perfekte Gärten, Parkland und Wald sowie die aufragenden Berge Benaughlin und Cuilcagh.

Das schöne Gebäude aus der Mitte des 18. Jhs. im Besitz der Grafen von Enniskillen brannte 1955 aus, wurde aber durch den National Trust hervorragend restauriert. Der Stuck in der Halle, an der Decke des Speisesaals und über der Treppe ist sehenswert, ebenso die Porträts der Grafen von Enniskillen mit rotem Haar und Adlernase.

224 B2
Enniskillen, County Fermanagh
www.nationaltrust.org.uk
Haus wechselnde Zeiten; Park meist 10–18 Uhr
Haus und Park £ 12.50, nur Park £ 7

69 Castle Coole

Irlands schönstes klassizistisches Herrenhaus, 1790–1798 gebaut und heute im Besitz des National Trust, liegt in einem Park auf einem Bergrücken wenig südlich von Enniskillen (S. 166). Hinter dem mächtigen Portikus sind feine Einrichtungen, Eichenböden und seidendrapierte Staatsgemächer zu betrachten. Achten Sie auf die Kamelköpfe bei den Vorhängen in der Bibliothek: Sie wurden hier zur Feier des Siegs von Admiral Nelson über Napoleon in der Schlacht am Nil 1798 installiert.

Beim Rundgang wird Ihnen der Guide die traurige Geschichte vom ersten Grafen Belmore erzählen, dem die Gattin davonlief.

224 B2
Enniskillen, County Fermanagh
www.nationaltrust.org.uk
Haus: wechselnde Zeiten; Anlagen: in der Regel 10–18 Uhr Haus und Park £ 11.50, nur Park £ 5

70 Navan Centre & Fort

Ulster wurde von ca. 700 v. Chr. bis ins 4. Jh. n. Chr. vom Hill of Navan wenig außerhalb von Armagh City regiert, sagt man. Nebulöse Sagengestalten – u. a. der Held von Ulster, Cú Chulainn, und seine Erzfeindin

Queen Medb von Connacht – bevölkern die grüne Hügelkuppe. Auf der Hügelkuppe standen Ganggräber, Festungsringe, und auch eine riesige, runde Halle aus Holz, die von den Erbauern dann wohl rituell in Brand gesteckt wurde.

Das Navan Centre am Fuß des Hügels informiert interaktiv über das Mysterium der Stätte. Zur Hügelkuppe ist es dann ein kleiner Spaziergang.

225 D2 81 Killylea Rd., Armagh
www.visitarmagh.com
Hügel: öffentl. zugänglich; Centre: Okt.–März 10–16, April–Sept. bis 18.30 Uhr £ 11

71 Armagh County Museum

Das älteste County Museum Irlands beschäftigt sich mit der Lebensweise der einst hier ansässigen Menschen und präsentiert didaktisch gut aufbereitete Ausstellungen über Natur und Geologie der Region.

225 D2 The Mall East, Armagh
028 37 52 30 70
visitarmagh.com/places-to-explo re/armagh-county-museum
Mo–Sa 10–16 Uhr frei

72 Mourne Mountains

Die kegelförmigen Mourne-Berge in der Südostecke Nordirlands sind eigentlich nur Hügel im Großformat, wirken aber durch ihre Lage am Meer gewaltig. Sie eignen sich hervorragend für Wanderungen wie den leichten Aufstieg zum Slieve Donard, dem mit ca. 850 m höchsten Berg Nordirlands. Der Anstieg ist anstrengend, aber von der Navigation einfach: Vom Donard Park in Newcastle führt ein Pfad durch Donard Wood und Glen River Valley in rund fünf Stunden zum Gipfel.

Die Küstenstraße A 2 berührt die Berge zwischen Newcastle, dem touristischen Zentrum, und Rostrevor; mehrere Nebenstraßen führen zu den Stauseen des Silent Valley (mit Parkplatz) und des Spelga Dam, der von einer wilden Landschaft umgeben ist. In Newry, Warrenpoint oder Newcastle können Sie Wanderkarten erwerben, wenn es weiter in die Berge gehen soll.

225 E1/2
Mourne Heritage Trust, 19 Causeway Rd., Newcastle, County Down
www.mournelive.com
Mo–Fr 9–17 Uhr

Wanderung in den Mourne Mountains

Wohin zum … Übernachten?

Preise für ein Doppelzimmer pro Nacht:

€	unter 70 Euro
€€	70–130 Euro
€€€	über 130 Euro

BELFAST

Malone Hotel €€
Freundliches Stadthotel nahe Universität und Ulster Museum, gastronomisch gut ergänzt durch die Greyhound Bar und das ausgezeichnete Gallery Restaurant.
225 E3
60 Eglantine Ave., Malone Rd., Belfast
028 90 38 80 00
www.themalonehotel.com

Tara Lodge €€
Dieses elegante, moderne Hotel bietet 18 Zimmer und eine freundliche, gemütliche Atmosphäre. Ein besonderer Vorteil ist der sichere Parkplatz.
225 E3 36 Cromwell Rd., Belfast
028 90 59 09 00
www.taralodge.com

The Merchant Hotel €€€
Das Grandhotel der Stadt im viktorianischen Ambiente einer ehemaligen Bank. 26 luxuriöse Zimmer mit Marmorbädern, Spa und Fitnessraum. Im Great Room Restaurant kann man Tee trinken oder stilvoll speisen.
225 E3 16 Skipper St., Belfast
028 90 23 48 88
www.themerchanthotel.com

ENNISKILLEN

Lough Erne Resort €€€
Stilvolles County Hotel in bester Lage direkt am See. Toll: die hoteleigenen Wander- und Joggingstrecken, der von Nick Faldo entworfene Golfplatz und das großzügige Spa.
224 B2 131 Lough Shore Rd., Enniskillen, County Fermanagh
028 66 32 32 30
www.lougherneresort.com

KÜSTE VON ANTRIM

Bushmills Inn €€€
Eine umgebaute Kutschstation aus dem 19. Jh. nahe dem Giant's Causeway. Die Gemeinschaftsräume sind im ländlichen Stil gehalten, die Zimmer individuell im komfortablen Cottage-Stil eingerichtet. Auch die neuen Bäder erscheinen wie aus einer vergangenen Epoche. Mit Restaurant und Bar.
225 D5 9 Dunluce Rd., Bushmills
028 20 73 30 00
www.bushmillsinn.com

LONDONDERRY / DERRY

Beech Hill Country House Hotel €€–€€€
Wenig außerhalb der Stadt auf waldigem Grund mit Wasserfällen und Gärten gelegen, hat das Haus aus dem 18. Jh. viele ursprüngliche Merkmale bewahrt. Die Zimmer sind nach Größe und Aussicht verschieden, aber stets mit bequemen Möbeln und Antiquitäten ausgestattet. Im Fitnessbereich gibt es Jacuzzi, Sauna und Dampfbad.
224 C4 32 Ardmore Rd.
028 71 34 92 79
www.beech-hill.com

Quay 8 €€
Nahe des Diamond und von den Stadtmauern umringt bietet diese ehemalige Anwaltskanzlei moderne Zimmer zu einem vernünftigen Preis. Die ganze Innenstadt ist in Laufweite – ideal für den Bummel.
224 A3
8 Shipquay St., Londonderry
028 71 37 74 41
www.quay8accommodation.com

DUNGANNON

Kensington Lodge €€
Die Gastlichkeit der Lodge sowie ihre Lage nahe der M1 machen sie zum guten Quartier für Exkursionen. Das moderne Haus ist gezielt als bequemes B&B entworfen worden. Die Zimmer sind sehr komfortabel, angenehm hell und ruhig.
225 D3 194 Killyman Rd.
077 61 00 81 96

MOURNE MOUNTAINS

Slieve Donard Hotel €€€

Das vornehme viktorianische Hotel mit Health Club liegt direkt am Meer und zu Füßen der Mourne Mountains neben den Royal County Down Golf Links.

225 E2 Downs Rd., Newcastle
028 43 72 10 66
www.marineandlawn.com/slievedonard/

Wohin zum ... Essen und Trinken?

Preise für ein Essen (o. Getränke, Service):

€	unter 12 Euro
€€	12–25 Euro
€€€	über 25 Euro

BELFAST

Crown Liquor Saloon €–€€

Dieser ehemalige viktorianische *gin palace*, heute Belfasts bekanntestes Pub (S. 174, 177), gehört zum National Trust. Doch das Crown ist kein Museumsstück: Ein durstlöschendes Pint und ein halbes Dutzend Austern auf Eis oder eine dampfende Schale mit würzigem *Irish Stew* stehen zur Wahl. Die Britannic Lounge oben ist einen Blick wert.

225 E3 46 Great Victoria St.
028 90 24 31 87
www.nicholsonspubs.co.uk
Mo–Sa 11.30–23.30/0.30, So 12.30–23.30 Uhr

Deanes at Queens €€–€€€

Egal, ob man bei einem Irish Stew und einem Bier drinnen sitzt und ins Grüne schaut oder auf der großen Terrasse: Die Stimmung ist ausgelassen, auch weil viele der Gäste seit Jahren hierherkommen. Es lohnt sich, nach den »Specials« des Tages zu fragen.

225 E3
1 College Gardens
028 90 38 21 11
www.michealdeane.co.uk
Mi–Fr 12–15 und 17.30–21, Sa 12–21.30, So 13–19 Uhr

Shu €€–€€€

Die bekannteste Brasserie in South Belfast wurde 2000 eröffnet und hat seitdem zahlreiche Auszeichnungen erhalten. Lachs, Taube, Seehecht und vieles andere wird mit himmlischen Saucen serviert. Außerdem gibt es herrliche, reichhaltige Desserts. Das Standardmenü (Mo–Do im Hauptrestaurant) bietet ein gutes Preis-Leistungs-Verhältnis.

225 E3 253 Lisburn Rd.
028 90 38 16 55
www.shu-restaurant.com Di–Sa 12–14.15 und 17.30–21.30, So 12.30–18.30 Uhr

KÜSTE VON ANTRIM

The Cellar Restaurant €€

Angenehmer Zwischenstopp auf halbem Weg zur Causeway-Küste. Einfache Gerichte mit Fisch und Meeresfrüchten, aber auch Steaks, Ente und Lamm. Spezialitäten sind Ballycastle-Hummer und geräucherter Kabeljau.

225 E5 11b The Diamond, Ballycastle
028 20 76 30 37
www.cellarballycastle.com
tgl. außer Mi 7–21 Uhr

Ramore Restaurant €–€€

Eine Gruppe von Restaurants mit verschiedenen Schwerpunkten – irgendein Haus hat ab Mittag garantiert geöffnet. Fisch, Fleisch, Vegetarisch ...

225 D5 The Harbour, Portrush
07506 990 345
www.ramorerestaurant.com ab 12 Uhr hat eines der zehn (!) Lokale tgl. geöffnet

MOURNE MOUNTAINS

The Buck's Head €€

Dieses attraktive Restaurant mit Bar hat einen Wintergarten und einen Garten mit Blick auf die Dundrum Bay. Gutes Essen, guter Service und lange Öffnungszeiten machen die Gaststätte zur idealen Rast auf Ausflügen. Örtliche Produkte, besonders Seafood aus der Dundrum Bay, sind vorherrschend; daneben gibt es viele vegetarische Speisen.

225 E2 77 Main St., Dundrum, Down
028 43 75 18 68
Mi–So 12–14.30 und 17–23 Uhr

Wohin zum ... Einkaufen?

Der Norden mit seiner langen Handwerkstradition ist Irlands beste Wahl für Leinen, Spitzen und parisches Porzellan. Achten Sie auch auf Wollwaren und Kristall aus Tyrone.

BELFAST

Belfasts Haupteinkaufszone liegt um Donegall Place, High Street und Royal Avenue; der Victoria Square (zwischen Ann und Chichester St.) ist das Einkaufszentrum. Im St George's Market (12–20 East Bridge St., an der May St.), einem entzückenden Ziegelsteingebäude aus dem späten 19. Jh., lockt der Friday Variety Market (8–14 Uhr), bei dem Sie nicht nur kulinarische Delikatessen, sondern auch Antiquitäten, Bücher und ausgefallene Kleider finden.

Samstags (9–15 Uhr) trifft man sich hier auch gerne zum Einkauf auf dem Food & Craft Market, bei dem irischer Käse, Fisch, allerlei Delikatessen und (skurriles) Kunsthandwerk gehandelt werden. Und wer immer noch nicht genug hat, bummelt am Sonntag (10–15 Uhr) noch ein drittes Mal durch die Gänge.

Seafood aus einem Pub in Cushendall

LONDONDERRY / DERRY

In Derry verkauft The Donegal Shop (Shipquay St., Mo–Sa 10–18 Uhr) feines irisches Leinen, Tweeds und Strickwaren sowie Hüte, Schals und Schmuck mit keltischen Motiven, während das Derry Craft Village (Shipquay St., Mo–Sa 9–21 Uhr) zahlreiche Shops, ein Café und interessante Workshops und Vorführungen anbietet.

Wohin zum ... Ausgehen?

Veranstaltungsinfos erhalten Sie bei der Touristeninformation vor Ort.

SPORT

Die Nordiren begeistern sich für Motorsport, Pferderennen, Fußball, Rugby und Cricket, aber auch für Hurling und gälischen Fußball. In Armagh ist Road Bowling populär, ein Mannschaftssport, bei dem Metallkugeln die Feldwege entlang »gekegelt« werden.

FILM

Locations der Serie »Game of Thrones« können Fans in Nordirland dutzendweise ansteuern. Details unter: www.visitbelfast.com (Reiter »Game of Thrones«).

MUSIK

Es gibt jede Menge Musik in Nordirland. Gute Adressen in Belfast für traditionelle Musik sind The John Hewitt Bar (51 Donegall St., Tel. 028 90 23 37 68) und The Spaniard (3 Skipper St., Tel. 028 90 23 24 48) in Belfast. Die Kitchen Bar (1 Victoria Sq., Tel. 028 90 24 52 68) bietet freitags ein ähnliches Musikprogramm.

Clubs wechseln mit der Mode, als Top-Location gilt nach wie vor das Limelight (17 Ormeau Ave., www.limelightbelfast.com). In der SSE Arena (Queen's Quay, mit Odyssey Pavilion; www.ssearenabelfast.com) steigen Großveranstaltungen.

Howth Head mit seinem markanten Baily Lighthouse ist ein beliebtes Ausflugsziel der Dubliner.

Spaziergänge & Touren

Sich treiben lassen, den Tag genießen, frei und ohne allzu festen (Zeit-)Plan. Machen Sie sich auf, die grüne Insel aktiv zu erleben.

Seiten 190–211

Klippenwanderung in Howth

Was?	Wanderung
Länge?	12 km
Dauer?	Je nach Kondition, etwa 4 Stunden
Start/Ziel	DART-Bahnhof in Howth (24 Min. ab Connolly Station in der City von Dublin) + 229 E3

In Howth vertreten sich Dublins Innenstadtbewohner gerne die Beine – flanierend am Wasser oder etwas herausfordernder auf gleich vier gut ausgeschilderten Strecken, die alle am Bahnhof starten. Die längste, aber auch lohnendste ist die »Purple Route«, man folgt einfach den violetten Markierungen!

1–2

In Howth mit dem DART angekommen, wenden Sie sich beim Verlassen des Bahnhofs nach links. Sie laufen am Hafen mit seinen Fischkuttern und Yachten vorbei.

Baily Lighthouse weist den Weg in den Hafen von Dublin (oben). Das malerische Fischerdorf Howth ist ein beliebtes Ausflugsziel ab Dublin.

2–3

Am östlichen Pier geht es nun beim hervorragenden Fischrestaurant King Sitric rechts die Balscadden Road langsam bergan, Sie folgen der Straße bis zum Ende an einem kleinen Parkplatz und dann dem gut sichtbaren Küstenpfad. Ab der Nose of Howth tauchen links schon recht beeindruckende Klippen unterhalb des Weges auf, an denen sich die Wellen brechen.

3–4

Nun führt der Weg, wenn auch nicht schnurgerade, gen Süden – rechts immer etwas Grün, links Klippen, dann die Einfahrt zum Hafen von Dublin, in einiger Entfernung Dún Laoghaire und dann die Wicklow Mountains. Halten Sie oft an und genießen Sie die Aussicht. Und irgendwann kommt auch, ziemlich tief gelegen, das Baily Lighthouse in Sicht. Rechter Hand ziehen sich Pfade bergan zum Howth Summit. Hier befindet sich die Endstation der Stadtbusse, falls Sie bereits abbrechen wollen.

4–5

Aber Durchhaltevermögen lohnt sich – nach der Querung der Zufahrtsstraße zum Baily Lighthouse (Zutritt verboten für Unbefugte!) wendet sich der Weg deutlich nach Westen. Die Doldrum Bay liegt links unter Ihnen. Genießen Sie den Anblick von oben – die verunreinigtes Abwasser hier ins Meer leitende Pipeline ignoriert man besser. Tja, leider ist Irland nicht in jeder Hinsicht eine »grüne« Insel. Danach geht es Richtung Nordwesten, bis der ausgeschilderte Pfad nach rechts von der Küste hinweg und zur Carrickbrack Road führt.

5–6

Dann müssen Sie die Carrickbrack Road queren (Seien Sie vorsichtig, hier kann viel Verkehr herrschen!). Anschließend steigt die Route an Golflinks vorbei bergan zum Bog of Frogs, dem Moor der Frösche. Auf der rechten Seite ragt der Ben of Howth auf, »verziert« mit einem Fernmeldemast, aber ist dennoch ein guter Aussichtspunkt. Unterhalb der Hügelkuppe liegt ein alter Grabhügel, der aber nicht besonders aufregend ist.

6–7

Nach dem Froschmoor führt Sie der ausgeschilderte Weg zum örtlichen GAA-Club Beann Eadair und langsam, aber sicher bergab zurück zur Bahnstation. Die Runde ist geschafft!

KLEINE PAUSE

Im Bahnhof ist ein lebhafter Pub untergebracht – wesentlich interessanter sind jedoch die zahlreichen **Fischläden und -restaurants** auf dem westlichen Pier. Das Motto: Frisch vom Kutter auf den Teller.

ⓘ ✢ 229 E3 | www.visithowth.ie

Highlights von Limerick

Was?	Spaziergang
Länge?	3 km
Dauer?	3–6 Stunden (je nach Anzahl der Zwischenstopps)
Start	Arthur's Quay Park
Ziel	King John's Castle ✈ 231 E5

Das Zentrum von Limerick mit seinen georgianischen Häusern im eleganten Bezirk Newtown-Pery und dem in einem Arm des Shannon gelegenen King's Island lohnt unbedingt diesen Spaziergang.

1–2

Ausgangspunkt für die Tour in Limerick (S. 123) ist eine Ruhezone am Shannon, der Arthur's Quay Park. Von da aus geht es südwestlich über die Liddy zur Henry Street. An der Kreuzung Shannon Street spätestens merken Sie, wie viel Geld in die Aufhübschung des Zentrums gesteckt wurde – links und rechts moderne Bauten, meist Einkaufstempel. Dabei war hier das alte Newton Pery, ein georgianisches Viertel. Interessant ist das Limerick Museum direkt an der Henry Street, das die Stadtgeschichte zum Leben erweckt.

Limerick-Blick über den Shannon auf King John's Castle

Am Harvey's Quay liegt Limericks Shannon-Schleuse.

2–3

Newton Pery erstreckt sich (in Teilen gut erhalten) sechs Häuserblocks in jede Richtung. Erkunden Sie die Gegend über Cecil, O'Connell und Mallow Street bis zum People's Park. Das mit Rotdorn, Eschen, Kastanien und Eichen bestandene Grün ist umgeben von georgianischen Häusern; am interessantesten sind diejenigen an der Westseite: No 1 Pery Square beherbergt in sechs akkurat restaurierten Gebäuden ein Luxushotel (S. 126), die benachbarten Häuser ab Nummer 2 gehören zum gut gepflegten Architekturerbe der Stadt.

3–4

Gehen Sie vom Park über Pery und Glentworth Street zurück zur O'Connell Street. Ab der Querung der Shannon Street ist sie verkehrsberuhigt, gesäumt von zahlreichen Läden, Cafés und Restaurants. Nach dem Übergang der anschließenden Patrick Street in die Rutland Street wartet links vor der Brücke das Hunt Museum mit einer erlesenen Sammlung von Steinzeit-Funden bis zu Werken von Picasso.

4–5

Überqueren Sie die Brücke zum King's Island und folgen Sie der Bridge Street bis zur St. Mary's Cathedral, die ursprünglich im 12. Jh. von Domnall Mór Ua Briain, dem letzten König von Munster, erbaut wurde. Sehenswert sind – neben dem alten Westportal – der Turm (mit acht Glocken) aus dem 14. Jh. und die Orgel aus dem 17. Jh. Links neben dem Haupteingang liegt die Gruft der Perys.

5–6

Ein weiterer Höhepunkt wartet am Ende der Nicholas Street: das monumentale King John's Castle, das sich mit seinen Rundtürmen weithin sichtbar über dem Fluss erhebt.

Lohnend ist ein Rundgang über die Befestigungsmauern mit herrlichem Blick auf Stadt und Landschaft. Auf der anderen Seite der Burg steht der ehemalige Bischofspalast, ebenfalls recht wehrhaft wirkend, heute Heimstätte des Limerick Civic Trust.

KLEINE PAUSE

Vom **Café im Hunt Museum** fällt der Blick auf den Shannon, während man sich einen Drink, einen Imbiss oder eine warme Mahlzeit schmecken lässt.

Limerick Museum
✉ The Old Franciscan Friary, Henry St., Limerick
🌐 www.limerick.ie/limerick-museum
🕒 Mo–Fr 10–17, Sa 10–13 und 14–17 Uhr
🎟 frei

Hunt Museum
✉ The Custom House, Rutland St., Limerick
🌐 www.huntmuseum.com
🕒 Di–Sa 10–17, So 11–17 Uhr 🎟 12,50 €

King John's Castle
✉ Nicholas St., Limerick
🌐 www.kingjohnscastle.ie
🕒 tgl. 9.30–17, im Sommer bis 18 Uhr
🎟 13 €

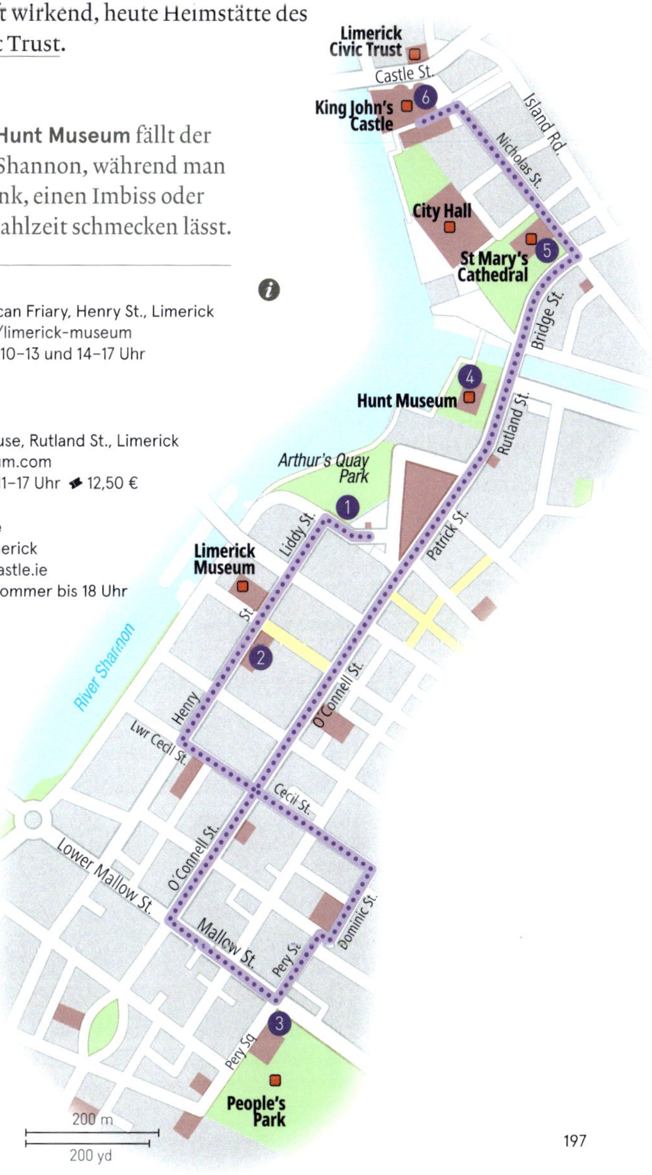

Patricks heiliger Berg

Was?	Wanderung am Croagh Patrick
Länge?	Etwa 7 km; Aufstieg 765 Höhenmeter
Dauer?	4–5 Stunden; die alte Pilgerroute erfordert zwei Tage
Start/Ziel	⊹ 226 C5 Murrisk an der R 355, 9 km westlich von Westport (für die kurze Strecke) ⊹ 227 D5 Ballintubber Abbey, 11 km südlich von Castlebar (für die alte Pilgerroute)

Die Besteigung ist eine der klassischen Bergwanderungen in Irland. Der Aufstieg ist nicht schwer, die zweite Hälfte über lockeres Geröll aber anstrengend. Der Blick vom Gipfel auf lange Küstenabschnitte, Inseln und Berge wird Ihnen den Atem rauben.Die meisten wählen den kurzen Anstieg, doch die lange, eigentliche Pilgerroute ist auch der Mühe wert.

Kurze Pilgerwanderung

1–2

Parken Sie Ihr Auto an Campbell's Pub in Murrisk, gegenüber dem National Famine Memorial (Gedenkstätte an die Große Hungersnot) – einem Dreimaster, um den sich Skelette ranken. Der Weg beginnt hinter dem Parkplatz, neben dem Visitor Centre und Ständen mit Wanderstöcken.

Der 750 m hohe Croagh Patrick ist der heilige Berg der Iren.

2–3

Passieren Sie das St.-Patrick-Standbild, wo manche Wanderer eine kurze Andacht halten, und folgen Sie dem ausgetretenen Weg zum Sattel (500 m).

3–4

Atmen Sie nochmal tief durch und erklimmen Sie den anstrengenden, geröllbedeckten Steilhang zum Gipfel. Kehren Sie auf demselben Weg wieder zurück.

Alte Pilgerroute

1–2
Der uralte Karrenweg aus vorchristlicher Zeit beginnt an der St.-Patricks-Quelle auf dem Gelände der Ballintubber Abbey und folgt den mit eingeritzten Kreuzen markierten Steinen. Diese führen Sie dann über Feldwege und Pfade den St. Patrick's Causeway (irisch: *Tochar Phadraig*) entlang.

High Season: Am »Reek Sunday« (dem letzten Sonntag im Juli) besteigen Zehntausende jeden Alters (und einige davon traditionell barfuß) und bei jedem Wetter den Berg.

2–3
Der Tochar, eine uralte Pilgerroute, führt über 37 km nach Westen zum Kegel des Croagh Patrick, vorbei an heiligen Brunnen, Megalithen, Klosterstätten, prähistorischen Grabhügeln und Inschriftensteinen.

3–4
Sie können Ihre Wanderung nach halber Strecke beim Dorf Aghagower unterbrechen oder sie in einem Stück absolvieren. Doch denken Sie daran, dass Sie ein steiler, 760 m langer Aufstieg über lockeres Geröll erwartet.

4–5
Sind Sie am Fuße des Reek angekommen, so folgen Sie der Spur über die Südflanke zum Sattel und arbeiten sich von dort über den Felssturz zum Gipfel vor.

Der hl. Patrick soll auf dem Berg gebetet und gefastet haben.

KLEINE PAUSE
Wenn Sie nach Murrisk zurückkehren, dann besuchen Sie **Campbell's Pub** (www.campbellspub.ie). Das einfache Pub serviert ein erstklassiges Guinness – die Einkehr hier gehört einfach dazu. Das Innere ist mit Fotos von Reek-Pilgern geschmückt.

227 D5 (Ballintubber Abbey) www.ballintubberabbey.ie

Auf Yeats' Spuren

Was?	Autotour
Länge?	ca. 140 km
Dauer?	unter 3 Std., mit Besichtigungen und Pausen: 1 Tag
Start/Ziel	Sligo City ✣ 223 E2

Für William Butler Yeats (1865–1939), Literatur-Nobelpreisträger von 1923 und Irlands Nationaldichter, waren die Tafelberge und langgezogenen Küsten des County Sligo immer gegenwärtig. Die schöne, verwitterte Landschaft, in der Yeats glückliche Monate der Kindheit mit seinen Großeltern und Cousins verbrachte, inspirierte ihn zu vielen seiner besten Gedichte – und stand für die Rätsel, Eigenart und Stärken seines Heimatlands. Die Rundstrecke durch das Yeats Country wird großenteils von braunen Straßenschildern begleitet, die einen Federkiel mit Tintenfass zeigen.

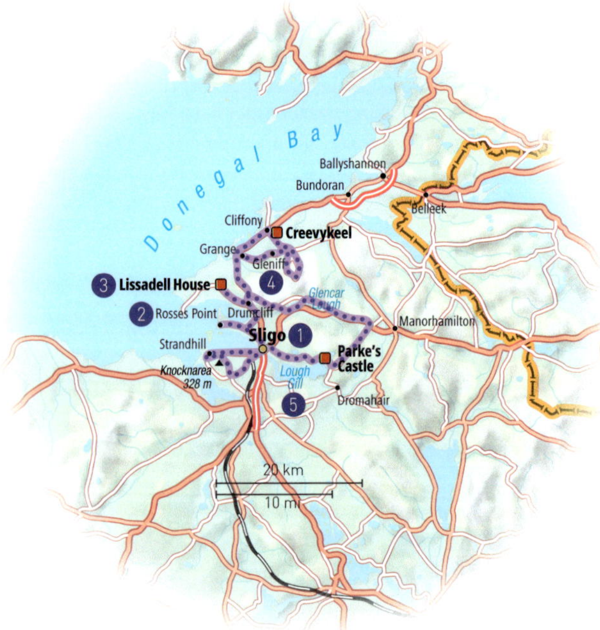

1–2

Nachdem Sie sich mit dem Besuch einiger Yeats-Stätten in Sligo Town (S. 153) eingestimmt haben, verlassen Sie die Stadt über die R292 nach Westen in Richtung Strandhill. Kurz hinter Sligo weist ein braunes Schild nach links zu den Carrowmore Tombs. An dieser Seitenstraße erstreckt sich die größte Ansammlung megalithischer Monumente Irlands – Steinkreise, Dolmen und *cairns* (Hügelgräber), von denen ein oder zwei fast intakt erhalten sind. Ein faszinierender Ort, einige moderne Gebäude kann man ja ignorieren.

Danach folgen Sie der Straße weiter bis Ransboro, biegen dann rechts Richtung Knocknarea ab. Sie gelangen zum Wanderparkplatz, von dem es steil bergauf zu Queen Maeve's Cairn und einem herrlichen Weitblick über Sligo und das Meer geht. Maeve war die sagenumwobene Königin von Connacht, die den »Cattle Raid von Cooley« anstiftete. Der große Steinhaufen, der sich am Gipfel des Knocknarea in den Himmel reckt ist angeblich ihr Grab. Tatsächlich ist Maeve's Cairn unerforscht, und wird von drauf herumkletternden Wanderern langsam zerstört.

Anschließend geht es zum steinigen Strand und den mächtigen Grasdünen Strandhill. Hier sah und hörte W. B. Yeats die Atlantikwellen ans Ufer schlagen:

Der Wind hat die Wolken gebündelt, hoch über Knocknarea,
Und den Donner auf die Steine geworfen, was immer
Maeve dazu sagt. Kleinod des Ortes ist die Ruine einer mittelalterlichen Kirche, die sich hinter dem Flugplatz versteckt.

2–3

Fahren Sie auf der R292 nach Sligo zurück und dann auf der N 15 ein kurzes Stück nördlich. Biegen Sie links auf die R291 nach Rosses Point ab, zu einem hübschen kleinen Dorf am Meer mit schönem Blick über die Sligo Bay und feinen Strandwegen. Hier verbrachten die Brüder Yeats als Kinder viele Sommertage.

Über die N 15 fahren Sie jetzt nordwärts bis Drumcliff. An der Straße steht dort der Stumpf eines Rundturms; ein reich verziertes Hochkreuz von 1000 n. Chr. ist in die Friedhofsmauer eingefügt. Doch Zielpunkt ist W. B. Yeats' Grab (S. 147) an der Nordwestseite des Turms. Er starb zwar in Frankreich, doch seine (vermeintlichen) Gebeine wurden, wie gewünscht, 1948 nach Irland überführt. Ein schlichter Grabstein trägt ein Epitaph, das er für sich selbst verfasst hatte:

Wirf einen kalten Blick
Auf das Leben, auf den Tod.
Reiter, zieh weiter

Der Anfang der Strophe lautet:

Unter dem kahlen Kopf Ben Bulbens
Im Friedhof von Drumcliff – liegt Yeats …

So wandert der Blick über Grabstein und Baumreihe auf den Ben Bulben in der Ferne.

3–4

Folgen Sie der N 15 8 km und machen eventuell einen Abstecher zum Lissadell House, dem Stammsitz der Familie Gore-Booth. Zwei Frauen waren mit Yeats befreundet: die Dichterin Eva Gore-Booth und ihre Schwester Constance, Gräfin Markiewicz, die dank ihrer Teilnahme am Osteraufstand von 1916 einen Ehrenplatz unter den Nationalhelden einnehmen sollte. Später wurde sie als erste Frau ins Parlament von Westminster gewählt, trat ihr Mandat aber nie an.

Folgen Sie der N 15 nach Norden, rechter Hand wandelt sich das Profil des Ben Bulben von dem eines liegenden Löwen zu einer vollkommen flachen Tafel. Kurz nach Cliffony machen Sie dann Schilder auf den Creevykeel Court Tomb aufmerksam. Dieses heute offengelegte Monument wurde vor 2500 v. Chr. mit zentralem Hof und mehreren Grabkammern gebaut, in frühchristlicher Zeit als Schmelzofen genutzt.

4–5

An der nahen Kreuzung folgen Sie jetzt der Ausschilderung nach Ballintrillick nach Süden. Bald ist der »Gleniff Horseshoe« ausgeschildert. Gleniff ist ein abgelegenes Hochtal, von Basaltklippen gesäumt, über die Wasserfälle stürzen. Schön, aber auch (fast) Sackgasse – folgen Sie einfach der (engen) Straße im großen Bogen nach links, an der nächsten Kreuzung dann links abbiegen, und so zur N 15 in Richtung Sligo. Nach 3,2 km biegen Sie links nach Glencar ab. Am Wasserfall erwartet sie ein Wanderparkplatz, Zeit für eine Pause.

5–6
Folgen Sie dann der Straße am See weiter bis zur N 16 und biegen Sie links nach Manorhamilton ab. Noch vor dem Ort aber biegen Sie nach rechts auf die R286 ab und folgen der Beschilderung zum »Parke's Castle«. Rechter Hand liegt Doon Lough, dann erreichen Sie schon Lough Gill, einen der schönsten Seen im County Sligo. Folgen Sie der Straße am Nordufer zum gut erhaltenen Herrenhaus Parke's Castle aus dem 17. Jh. Von der Bucht am Schloss starten Bootstouren zur Lake Isle of Innisfree, Thema von Yeats' bekanntestem Gedicht (bei Dromahair kann man die Insel auch kostenlos vom Seeufer aus betrachten, in nur 200 m Entfernung). Yeats jedenfalls schrieb:

Der markante Ben Bulben ist auf Yeats' Grabstein verewigt.

> *Ich werde mich jetzt erheben und gehen, und gehen nach Innisfree,*
> *Und eine kleine Hütte bauen dort, aus Lehm und Flechtwerk:*
> *Neun Reihen Bohnen werde ich dort haben, einen Stock für die Honigbiene, Und alleine leben auf der bienenlauten Lichtung …*

Der Traum eines Aussteigers, nie in die Praxis umgesetzt. Dennoch verlockend … werden Sie spätestens denken, wenn Sie die R286 noch ein Stück am See entlang und dann zurück nach Sligo führt.

KLEINE PAUSE

In der **Yeats Tavern** (Drumcliffe, www.yeatstavernrestaurant.com) können Sie zu einem Imbiss an der Bar oder zum vollen Restaurantessen einkehren.

Carrowmore Megalithic Cemetery
223 E2
☎ www.heritageireland.ie
Ostern–Okt. tgl. 10–18 Uhr
5 €

Lissadell House
223 E2
www.lissadellhouse.com
aktuelle Zeiten (Touren, Ausstellungen) online prüfen

Hoch über Derry

Was?	Spaziergang
Länge?	1,6 km
Dauer?	2 Std.
Start/Ziel	Tower Museum, Union Hall Place ✈224 C4

Der Rundgang vermittelt Einblicke in die Psychologie einer immer noch gespaltenen Gesellschaft. Die Mauern sind das greifbare Symbol der 105-tägigen Belagerung Derrys 1689, der Belagerungsmentalität der Loyalisten und der im Zaum gehaltenen Nationalisten.

1–2

Betreten Sie die Altstadt von Derry (S. 184) durch das Shipquay Gate, um rechts neben dem Tower Museum am Union Hall Place auf die Mauer zu steigen. Die Mauern von Derry, 6–8 m hoch und dick, wurden 1613–1619 von der »Irish Society« errichtet, im Prinzip eine Investmentgesellschaft der Londoner Gilden, die in der Kolonialisierung Irlands durch schottische (und protestantische) Siedler das große Geld witterte. Die Mauern schützen einen modern geplanten Stadtkern, dessen Grundmuster ein Straßenkreuz bildete, das einen karoförmigen zentralen Marktplatz namens The Diamond mit vier großen Toren verband: Shipquay Gate im Norden, Butcher's Gate im Nordwesten, Bishop's Gate im Südwesten und Ferryquay Gate im Südosten. Drei weitere Tore kamen später hinzu.

2–3

Starten Sie in südwestlicher Richtung oberhalb der Magazine Street und schauen Sie auf das Gewirr der Dächer der ummauerten Stadt herunter. Überschreiten Sie Castle Gate, dann Butcher's Gate. Halten Sie inne an der Royal Bastion, einer bulligen Auswölbung, und lassen Sie den Blick nach Westen über die Dächer der (offensichtlich nationalistischen) Bogside zu den Hügeln Donegals am Horizont schweifen. »You are now entering Free Derry«, verkündet ein bekanntes Wandbild zur Erinnerung an die »Unabhängigkeit« der Bogside 1969–1972, andere Bilder beschwören ikonische Momente der Zeit herauf. Weitere Wandbilder lokaler Künstler findet man in der Rosville Street, früher »No-Go-Area«, heute ein beliebter Ort für Selfies. Die Bastionskanonen, aus verschiedenen Epochen stammend, schauen missbilligend hinunter. Hier stand die Walker Column, wichtiges lokales Wahrzeichen mit bester Aussicht von oben, bis es 1973 von der IRA gesprengt wurde. Eine stetige Provokation der Nationalisten, denn George Walker hatte während der Belagerung stur den loyalistischen Hardliner gegeben und ist der erklärte Held der Unionisten.

3–4

Wandern Sie zum Bishop's Gate und steigen Sie von der Mauer. Zwei Flussgötter schmücken den 1789 errichteten Triumphbogen, Personifikationen der loyalistischen Ikonen Foyle und Boyne. Es war das Bishop's Gate, zu dem der vom Parlament abgesetzte König Jakob II. am 18. April 1689 ritt, um die Kapitulation der Stadt zu fordern. Die Antwort gaben Kanonen. Danach begann die Große Belagerung; aber die Bürger von Derry waren schon seit dem vorherigen Dezember eingeschlossen, als 13 Lehrjungen die Schlüssel der vier Tore geraubt und somit die Besetzung durch schottische Söldner verhindert hatten.

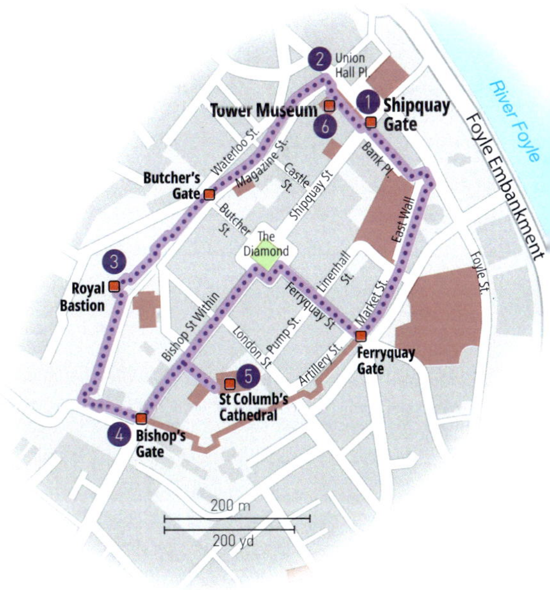

4–5

Gehen Sie durch die Bishop Street Within und rechts den St. Columb Court hinauf zur St. Columb's Cathedral. Von ihrem Turm erscholl der Ruf »Keine Kapitulation!« als Antwort auf die Forderungen König

Zwei Zeitalter: Zu Derrys historischer Guildhall, in der die herrlichen Buntglasfenster begeistern (rechts) gelangen Fußgänger auf der modernen Peace Bridge (ganz oben). Derry ist die einzige Stadt Irlands mit einem kompletten Mauerring. Ein Spaziergang über das 1,6 km lange Bollwerk bringt den Besucher auch zu diesen historischen Kanonen (oben).

Jakobs. Nachdem der wankelmütige Gouverneur Robert Lundy verjagt war, übernahm sein Beisitzer George Walker, Priester und Soldat, die Verteidigung der Stadt.

Im Chapter House sind die Schlüssel zu sehen, die die Lehrjungen geraubt hatten, ferner hausgemachte Kanonenkugeln aus Ziegelstein. Hier findet sich auch eine Gedenktafel für Captain Michael Browning, der am 28. Juli 1689 umkam, als sein Schiff *Mountjoy*, mit dringend benötigten Versorgungsgütern die jakobitischen Sperren auf dem Foyle durchbrach.

Verlassen Sie St. Columb's nicht, ohne einige der anderen Schätze gesehen zu haben: Regimentsflaggen, Kirchenbänke, den Eichentabernakel über dem Bischofsstuhl und das spätviktorianische Fenster.

5–6

Zurück zur Bishop Street Within und weiter zum Diamond. Folgen Sie der Ferryquay Street rechts zu den Mauern am Ferryquay Gate. Vollenden Sie Ihren Rundgang und besuchen Sie am Ende das Tower Museum. Es wurde 1992 komplett neu konzipiert und stellt die Stadtgeschichte aus einer neutralen Perspektive dar. In dem ausgezeichneten Museum können Sie über »Zeittunnel« verschiedene Phasen der Geschichte von Derry nachvollziehen. Die »Troubles« werden deutlich thematisiert, aber auch hier ist das Bemühen um eine neutrale Darstellung spürbar.

Besuchen Sie auf jeden Fall das Guildhall. Ein Bombenanschlag zerstörte 1972 die Buntglasfenster, aber wie durch ein Wunder waren die Originalentwürfe erhalten geblieben, sodass die Fenster rekonstruiert werden konnten.

KLEINE PAUSE

Die **Dungloe Bar** (www.thedungloebar.com) in der Waterloo Street eignet sich prima für einen leichten Imbiss zum Lunch, manchmal gibt es auch Livemusik.

---

224 C4

St. Columb's Cathedral
www.stcolumbscathedral.org
aktulle Zeiten online £ 2

Tower Museum
Union Hall Place, Derry
www.towermuseumcollections.com tgl. 9–17.30 Uhr
£ 4

Rund um Strangford Lough

Was?	Autotour
Länge?	160 km (plus 10-minütige Überfahrt mit der Autofähre von Portaferry nach Strangford, alle halbe Stunde)
Dauer?	Ein Tag
Start/Ziel	Newtownards (an der A 20, 10 km östl. von Belfast) →225 F3

Die rund 380 km² große Halbinsel Ards hängt östlich von Belfast wie ein Elefantenrüssel in das Meer. Und schützt so die wie ein Binnenmeer wirkende Bucht von Strangford Lough. Am südlichen Zipfel der Ards Peninsula liegen sich die schmucken Dörfer Portaferry und Strangford gegenüber, getrennt nur durch eine ca. 1500 m breite Meerenge.

Der Strangford Lough ist im Winter Heimat von Millionen Gänsen und Enten, während sich die Ostküste der Halbinsel mit ihren langen Sandstränden, unterbrochen durch Felsbuchten, der Irischen See zuwendet. Verkehrstechnisch ungünstig, liegt die Gegend touristisch fast noch im Dornröschenschlaf.

1–2
Fahren Sie ab Newtownards im Norden des Strangford Lough auf der A 48 über die Schulter der Halbinsel zum Fischerdorf Donaghadee, dessen Hafen man um 1820 ausbaute, um Fähren nach Portpatrick in Südwestschottland zu bedienen. Der seit 1611 offene Pub Grace Neill's soll so illustre Gäste wie die Schreiberlinge Keats und Defoe, den Komponisten Liszt und sogar den Zaren Peter den Großen vor dem Verdursten gerettet haben.

Der National Trust betreibt Mount Stewart unter dem Namen »Garden & Temple of the Winds« (oben). Im Vogelparadies Strangford Lough stolzieren zwei Schnepfen (links).

Folgen Sie der A 2 die Küste hinunter, vorbei an schönen Stränden, bis Ballywalter und wenden Sie sich via B 5 landeinwärts nach Greyabbey am Strangford Lough. Dort steht die Ruine der Grey Abbey aus dem 12. Jh.; fahren Sie auf der Uferstraße A 20 rechts nach Mount Stewart. Dieses prachtvolle Haus im Besitz des National Trust wirkt warm und heimelig, mit Kandelabern und Intarsienböden. Seine Gärten sind mit die schönsten des National Trust; Lady Londonderry hat sie nach 1915 auf kühne, eigenwillige Weise gestaltet und mit ungewöhnlichen Steinskulpturen geschmückt.

Die Fähre von Strangford nach Portaferry

2–3

Zurück geht es auf der A 20 durch Greyabbey nach Süden. Halten Sie gelegentlich an, um die Vogelwelt des Strangford Lough mit dem Fernglas zu betrachten – Pfuhlschnepfe, Rotschenkel, Brachvogel, Regenpfeifer und im Winter Riesenschwärme von Meergänsen aus Grönland. Queren Sie bei Kircubbin die Halbinsel, um auf Ihrer Küstenfahrt nach Süden kleine Fischerdörfer wie Ballyhalbert und Portavogie zu streifen, berühmt für ihre Garnelen und Schellfische.

Bei Cloghy können Sie entweder südwärts zur schroffen Spitze der Halbinsel bei Ballyquintin Point oder landeinwärts nach Dorn am Strangford Lough fahren, wo Sie ein Naturschutzgebiet und einen guten Platz zur Vogelbeobachtung vorfinden. Halten Sie in jedem Fall auf den Hafen Portaferry zu und lassen Sie sich nach Strangford übersetzen.

Die Überfahrt über die Mündung von Strangford Lough bringt Sie ins sogenannte St. Patrick's Country. Hier soll der Schutzpatron Irlands 432 auf seiner großen Mission zur Bekehrung der heidnischen Iren gelandet und im Kloster Saul im Jahr 461 verstorben sein.

3–4

Folgen Sie der A 25 von Strangford nach Castle Ward. Das Haus, heute im Besitz des National Trust, wurde 1762–68 von Lord Bangor und Lady Ann Bligh gebaut. Er liebte Palladio, sie die Romantik, nur ein Kompromiss konnte da helfen. Nun hat Castle Ward also eine elegante Vorderseite und eine Rückseite mit maurischen Fenstern und Zinnen. Und das Paar – es hat sich schließlich getrennt.

Fahren Sie auf der A 25 weiter nach Downpatrick. Vor der Kathedrale befindet sich eine Steinplatte mit der Aufschrift »PATRIC«. Ist der hl. Patrick unter diesem Stein begraben? Sehr diskutabel, wie auch das Besucherzentrum am Fuß des Hügels (www.saintpatrickcentre.com) dokumentiert.

4–5

Etwa 2 oder 3 km südöstlich von Downpatrick finden Sie an der Ardglass Road Struell Wells angezeigt, einen kuriosen, stillen Ort, wo sich unter uralten, steinernen Badehäusern eiskalte Quellen verbergen.

Kehren Sie nach Downpatrick zurück und fahren Sie auf der A 22 am Westufer des Strangford Lough entlang zurück nach Norden und Newtownards. Genießen Sie hinter Downpatrick im Quoile Pondage National Nature Reserve einen Spaziergang am Wasser. Nehmen Sie sich die Zeit, über Dämme zur einsamen kleinen Mahee Island zu fahren. Dort erwarten Sie ein zerborstener Rundturm, Grabsteine von Mönchen, Fundamente alter Mauern und Hütten – Reste des Klosters von Nendrum aus dem 5. Jh., den ersten Abt Mo Chaoi soll noch Patrick selbst eingesetzt haben.

KLEINE PAUSE

Downpatricks Denvir's Hotel & Pub (English St., Downpatrick, www.denvirs.com) soll Irlands ältester Postgasthof sein. Jedenfalls gibt es gute Burger und Fischsuppe.

Grey Abbey
✈ 225 F3 ✉ 129 Main St., Greyabbey
☎ 028 42 78 86 66
◷ Ostern–Sept. tgl. 10–18, Okt.–Ostern So 12–16 Uhr
€ frei

Mount Stewart
✈ 225 F3
✉ Portaferry Rd., Newtownards
⊕ www.nationaltrust.org.uk
◷ Zeiten variieren stark, online prüfen
€ £ 13

Castle Ward
✈ 225 F2
✉ Strangford, Downpatrick
⊕ www.nationaltrust.org.uk
◷ Zeiten variieren stark, online prüfen
€ £ 12

Quoile Countryside Centre
✈ 225 F2 ✉ 5 Quay Rd., Downpatrick
☎ 028 44 61 55 20
◷ April–Ende Aug. tgl. 11–17, Sept.–März Sa/So 13–17 Uhr
€ frei

Das Bord Gáis Energy Theatre in den Docklands von Dublin wurde von Daniel Libeskind entworfen.

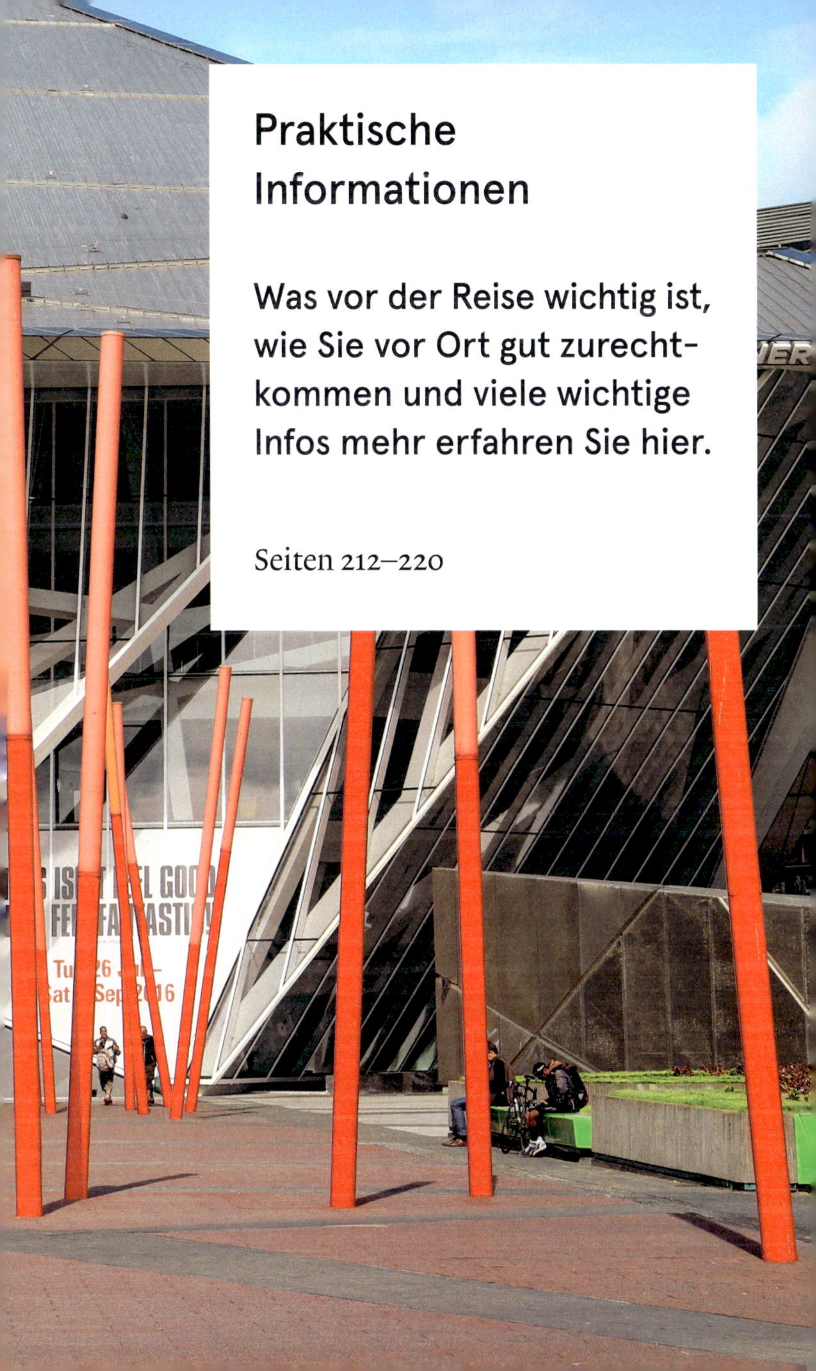

Praktische Informationen

Was vor der Reise wichtig ist, wie Sie vor Ort gut zurechtkommen und viele wichtige Infos mehr erfahren Sie hier.

Seiten 212–220

VOR DER REISE

Auskunft

Tourism Ireland
🌐 www.ireland.com
🌐 www.discoverireland.ie

Visit Dublin Centre
✉ 3 Palace St., Dublin
🌐 www.visitdublin.com

Visit Belfast Welcome Centre
✉ 9 Donegall Sq. North, Belfast
🌐 www.visitbelfast.com

Zusätzlich gibt es **Touristeninformationen** in kleineren Orten. Sie nehmen auch Reservierungen entgegen, helfen bei Fragen nach Veranstaltungen, Hotels u. Ä. und halten umfangreiches Prospektmaterial bereit. **Achtung:** Bekannte Sehenswürdigkeiten müssen häufig im Voraus gebucht werden.

Webseiten

www.heritageireland.ie: umfangreiche Infos zu den wichtigsten Kulturerbestätten Irlands
www.transportforireland.ie: Fahrpläne, Reiseplaner, Kosten für Verkehrsmittel
www.rte.ie: öffentlich-rechtlicher Rundfunk und Fernsehen mit aktueller Berichterstattung und Kommentaren zu Hintergründen
www.auswaertiges-amt.de: aktuelle Infos zum Thema Irland und Brexit

Diplomatische Vertretungen

Deutsche Botschaft
✉ 31 Trimleston Ave., Booterstown Blackrock, Co. Dublin
☎ 01 277 61 00 🌐 www.dublin.diplo.de

Österreichische Botschaft
✉ 6 Ailesbury Rd., Dublin 4
☎ 01 269 45 77 🌐 www.bmeia.gv.at

Schweizer Botschaft
✉ 6 Ailesbury Rd., Dublin
☎ 01 218 63 82
🌐 www.eda.admin.ch/dublin

Elektrizität

Das Netz führt 220 V Wechselspannung. Da irische Steckdosen auf Dreipolstecker ausgerichtet sind, benötigen Sie einen Adapter.

Ermäßigungen

Der **Dublin Pass** (www.gocity.com, 3-Tages-Pass für 109 €) bietet freien Eintritt zu vielen Sehenswürdigkeiten und 24 Stunden freie Fahrt bei einer Hop-on-Hop-off-Bustour sowie weitere Vergünstigungen – lohnt nicht immer.

Mit der **Heritage Card** (www.heritageireland.ie/visit/heritage-card, 40 €) erhalten Sie kostenfreien Zugang zu Sehenswürdigkeiten, darunter zu zahlreichen Herrenhäusern, Gärten und Schlössern.

Feiertage

(NI = Nord-, RI = Republik Irland)
1. Jan.: Neujahr
Erster Februarmontag: St. Brigid's Day (RI)
17. März: St. Patrick's Day
März/April: Karfreitag (NI), Ostermontag
Erster Maimontag: Maifeiertag
Letzter Maimontag: Frühlingsfeiertag (NI)
Erster Junimontag: Junifeiertag (RI)
12. Juli: Oraniertag (NI)
Erster Augustmontag: Augustfeiertag (RI)
Letzter Augustmontag: Spätsommerfeiertag (NI)
Letzter Oktobermontag: Oktoberfeiertag (RI)
25./26. Dez.: Weihnachten/Boxing Day

Geld

Währung: In der Republik Irland ist der Euro das offizielle Zahlungsmittel, in Nordirland das Pfund Sterling (£).
Wechselkurse:
1 £ = 1,16 €, 1 € = 0,86 £
1 £ = 1,10 CHF, 1 CHF = 0,91 £
Geldautomaten: In Irland und Nordirland existiert ein dichtes Netz an Bankautomaten (engl.: Automatic Teller Machine, ATM).
Bank-/Kreditkarten: Gängige Kreditkarten sind weit verbreitet und werden u. a. von Hotels, Restaurants, Autovermietungen akzeptiert.
Sperrnummern: Unter der einheitlichen Sperrnotruf-Nummer +49 116 116 kann man

in Deutschland Bank- und Kreditkarten, Online-Banking-Zugänge, Handykarten und die elektronische Identitätsfunktion des Personalausweises bei Verlust sperren lassen. Für Österreich gilt die Telefonnummer: ☎ +43 1 204 88 00. Für die Schweiz gilt die Telefonnummer: ☎ +41 58 958 83 83.

Gesundheit

Krankenversicherung: Bürger der EU mit elektronischer Gesundheitskarte (EHIC) erhalten eine kostenlose bzw. kostenreduzierte medizinische Notfallversorgung und beim Zahnarzt eine eingeschränkte zahnärztliche Betreuung. In jedem Fall ist der Abschluss einer Auslandskrankenversicherung ratsam, die auch den Rücktransport abdeckt.
Medikamente: Verschreibungspflichtige und nicht verschreibungspflichtige Medikamente gibt es in Apotheken.

In Kontakt bleiben

WLAN und Internet: Internetzugang per WLAN (Wi-Fi) ist fast überall in Flughäfen und Hotels möglich, z. T. gegen Gebühr, meist aber kostenlos, oft auch in den lokalen Niederlassungen der Touristeninformation. Im Restaurant fragt man ggf. einfach: »*May I get the Wifi-Code, please?*«.
Mobil telefonieren: *Mobile phones* (Handys) wählen sich automatisch über Roaming in ein Partnernetz ein. Auch nach dem Wegfall der Roaming-Gebühren in der EU gibt es Anbieter, die je nach Tarifoption für Handy-Nutzung im Ausland Kosten berechnen, checken Sie vorher Ihren Vertrag! Für Schweizer fallen im Ausland nach wie vor Roaming-Gebühren an.

Internationale Vorwahlen:
Deutschland ☎ + 49
Österreich ☎ + 43
Schweiz ☎ + 41
Republik Irland ☎ + 353
Nordirland ☎ + 44

Notruf

Zentraler Notruf für Polizei, Feuerwehr und Krankenwagen: ☎ 112, 999

Reisedokumente

Als EU-Bürger können Sie mit Personalausweis oder Reisepass in ganz Irland (einschl. Nordirland) reisen, sofern Sie über einen Flughafen oder Fährhafen der Republik Irland ein- und ausreisen.

Reisezeit

Das irische Wetter ist sprichwörtlich wechselhaft, mitunter wechseln sich mehrmals am Tag Sonne und Regen ab. Im Sommer stiegen die Temperaturen auf über 20 °C, in den Wintermonaten fallen sie bis zu 2 °C ab. Dank des Golfstroms ist das Wetter das ganze Jahr über relativ mild. Im Juli und August, während der Hochsaison, sind auch viele Iren unterwegs, Hotels sind teuer und häufiger ausgebucht. Ideale Reisezeiten sind deshalb die Monate Mai und Juni sowie September und Oktober.

Sicherheit

Die Republik Irland und Nordirland sind sichere Reiseländer. Auf Ihre Wertsachen verstärkt aufpassen und dunkle Ecken meiden sollten Sie allerdings in Dublin und Belfast. Es empfiehlt sich stets, größere Geldbeträge und Reisedokumente möglichst im Hotelsafe zurückzulassen bzw. notfalls im eigenen abgeschlossenen Koffer.

Zollbestimmungen

Für EU-Bürger gelten für Waren des eigenen Gebrauchs keine Beschränkungen. Zollfrei akzeptiert werden in der Praxis 800 Zigaretten (oder 200 Zigarren) und 10 l Spirituosen, 90 l Wein oder 110 l Bier, größere Mengen werden als gewerblich eingestuft.

ANREISE

… mit dem Flugzeug:

Dublin Airport (DUB) liegt 12 km vom Stadtzentrum entfernt. Busse von Skylink und Bus Éireann fahren mehrmals stündlich in die Stadt. Weitere wichtige irische Flughäfen sind: Cork (ORK), Kerry County Airport (KIR), Ireland West Airport Knock (NOC).

Folgende Fluggesellschaften unterhalten regelmäßige Verbindungen ab Deutschland,

Österreich, Schweiz: Aer Lingus, Lufthansa, Swiss, Ryanair.

... mit dem Auto & Schiff
Irish Ferries (www.irishferries.com) und **Stena Line** (www.stenaline.ie) bieten Fähren nach Wales oder direkt nach Cherbourg (Frankreich). **DFDS** (www.dfds.com) betreibt die Direktverbindung von Rosslare nach Dünkirchen (Frankreich), **Brittany Ferries** eine weitere Verbindung von Cork nach Roscoff (Frankreich). Von Großbritannien erfolgt die Anreise per Fähre bzw. durch den Eurotunnel (von Calais nach Folkstone).

UNTERWEGS IN IRLAND

Mit dem Auto oder doch lieber mit dem öffentlichen Nahverkehr in Irland unterwegs? Das ist nicht immer eine leichte Entscheidung, da es in beiden Fällen Vor- und Nachteile gibt. Jedenfalls ist das vom Staat und auch von privaten Anbietern betriebene Busnetz recht umfassend und auch noch preiswert. Züge sind vor allem rund um Dublin zu nutzen.

... mit dem Nahverkehr:
Mit **LUAS** (www.luas.ie), der Stadtbahn von Dublin, sind Sie in der Innenstadt mobil. Die schnelle Küstenlinie **DART** (Dublin Area Rapid Transit, www.irishrail.ie/en-ie) verbindet die nördlichen und südlichen Außenbezirke Dublins mit dem Stadtzentrum. Die drei zentralen DART-Stationen sind Connolly, Tara Street und Pearse Street. Prüfen Sie, ob sich der Kauf der **Leap Visitor Card** (www.about.leapcard.ie/leap-visitor-card) für den Dubliner Nahverkehr lohnt.

Dublin Bus (www.dublinbus.ie) und **Go-Ahead** (www.goaheadireland.ie) betreiben Verbindungen in Groß-Dublin und bis in die Randgebiete der Countys Meath, Kildare und Wicklow.

Irish Rail (www.irishrail.ie) ist für den Eisenbahnverkehr der Republik zuständig. Das Streckennetz konzentriert sich auf Verbindungen von Dublin in wichtige Provionzstädte.

Der Enterprise Service von **Translink**, Dublin–Belfast Express (acht Züge pro Tag, via Dundalk; www.translink.co.uk/enterprise), fährt in zwei Stunden nach Belfast.

Bus Éireann (www.buseireann.ie) mit seinem roten Setter-Logo bedient alle kleinen und großen Städte sowie ländliche Gemeinden. Die stündlich verkehrenden Busse zwischen Dublin und Belfast (Expressway) sind günstig und oft schneller als der Zug.

Daneben gibt es auch Privatbusse, etwa von **Aircoach** (www.aircoach.ie).

... mit dem Auto:
Der ungewohnte **Linksverkehr** und enge, kurvenreiche Straßen – besonders im Westen der Insel – erschweren und verlangsamen das Unterwegssein. Nordirland verwendet Meilen pro Stunde, in der Republik Irland sind Kilometer üblich.

Die **Höchstgeschwindigkeit** liegt innerorts bei 50 km/h, auf Nebenstraßen bei 80 km/h, auf Nationalstraßen bei 100 km/h und auf Autobahnen bei 120 km/h.

Auf Irlands *toll roads* (Autobahnen) ist eine **Autobahngebühr** fällig; diese kann in bar oder mit Kreditkarte bezahlt werden. Nur an der M 50, der Dublin Ring Road (Ringautobahn um Dublin), gibt es keine *toll plaza* (Zahlstelle). Hier muss man nach der Fahrt bis 20 Uhr des Folgetags die Maut bezahlen: Das geht unter www.eflow.ie, per Tel. +353 1 461 01 22 und Visa- oder Mastercard oder über Payzone (www.payzone.ie, auch in vielen Geschäften verfügbar). Beim Autovermieter fragt man, ob die Gebühr übernommen wird, was aber kaum der Fall ist.

... mit dem Mietauto:
Der Vorteil des Mietwagens? Lenkrad auf der richtigen Seite, bessere Übersicht, relativ neue Autos. Allerdings sind die Preise mittlerweile erheblich angestiegen. Besser rechtzeitig über ein Vergleichsportal wie www.billiger-mietwagen.de oder www.check24.de buchen, samt Rundumversicherung! Und vermeiden Sie reine Elektroautos, die Infrastruktur ist schwach.

... mit dem Taxi:
In den Städten (Dublin, Belfast, Cork, Galway und Limerick) sind Taxis problemlos erhältlich. Viele Iren reservieren eine Fahrt über

die Uber App. Auf dem Lande ist es schon schwieriger, unterwegs ein Taxi zu finden, eine vorherige Reservierung ist sinnvoll.

ÜBERNACHTEN

Vom Castle zum Cottage: Zu den besonderen Vergnügen einer Irland-Reise gehört die Übernachtung in einem stilvollen Manor House oder einem Cottage mit offenem Kamin und niedrigen Balkendecken. Daneben gibt es moderne Hotels in allen Preisklassen und Bed & Breakfasts (B&B), eine typisch irische Unterkunftsmöglichkeit, die vom Landhaus im Georgian Style und inmitten des eigenen Parks bis zum preiswerten Bungalow in der Vorstadt reicht.

Wenn Sie Kontakt mit Iren haben wollen, können **B&Bs** die erste Wahl sein, da sich die meisten dieser Unterkünfte im Haus einer Familie befinden und die Gastgeber meist gern bereit sind, Fragen zu beantworten. Eine Auswahl unter ca. 800 B&Bs bietet www.bandbireland.com.

Typisch für alle B&Bs ist das traditionelle Irish Breakfast (eine opulente Angelegenheit, bestehend aus Porridge oder Cerealien, gefolgt von einem Eiergericht, Würstchen, gegrillten Tomaten und Pilzen, z. T. auch mit Räucherlachs, dazu Orangensaft, Tee oder Kaffee), das serviert wird.

Daneben existieren in den touristisch relevanten Gegenden zahlreiche **Ferienhäuser** und *self catering apartments* **(Ferienwohnungen).** Die Auswahl ist riesengroß und mittlerweile auch in Nordirland recht umfangreich geworden.

Die vorherige Reservierung einer Unterkunft ist durch ein mittlerweile eingeschränktes Angebot eigentlich unabdingbar. Der warme Sommer lockt viele Menschen ans Meer, besonders nach West Cork, Kerry und Galway; daher kann ein Aufenthalt dort in der Nebensaison angenehmer sein. In Dublin sind Hotels teurer als im Landesdurchschnitt. Unterwegs sind in den Touristenbüros der Städte diverse Prospekte für Hotels und Freienwohnungen, auch Auskünfte zum **Urlaub auf Bauernhöfen** *(farm holidays)* erhältlich.

Die **Irish Hotels Federation** (www.irelandhotels.com) veröffentlicht ein eigenes Verzeichnis von Hotels und Pensionen, die Suche kann nach Regionen erfolgen.

Irish Farmhouse Holidays (www.irishfarmholidays.com) listet auf ihrer Website Farmstay B&Bs.

Übernachtungspreise pro Nacht für ein Doppelzimmer (Republik Irland/Nordirland):

€	unter 70 €/60 £
€€	70–130 €/60–100 £
€€€	über 130 €/100 £

ESSEN UND TRINKEN

Irlands Küche kann sich sehen lassen: Spezialitäten wie Galway-Austern, Kaisergranat aus der Dublin Bay, Atlantik-Lachs, Connemara-Lamm sowie lokal angebaute Gemüse und Kräuter sind irische Markenzeichen. Und da es auch nicht an guten Köchen fehlt, gilt: Essen gehen ist in Irland kann sich lohnen (aber auch etwas mehr kosten), egal ob in einem gepflegten Restaurant oder im Pub. Zu trinken gibt es neben Tee und frischer Milch irischen Cider, Bier und Whiskey.

Preise für ein Hauptgericht ohne Getränke (Republik Irland/Nordirland):

€	unter 12 € / 10 £
€€	12–25 € / 10–20 £
€€€	über 25 € / 20 £

Bis in die 1990er-Jahre hinein waren **traditionelle Gerichte** wie *colcannon* (ein Püree aus Kartoffeln und Kohl), *boxty* (Kartoffelbrot oder -pfannkuchen), *Dublin coddle* (Eintopf aus Wurst, Speck, Zwiebeln und Kartoffeln), Irish Stew und gekochter Schinken mit Kartoffeln und Kohl nur in wenigen Pubs zu haben.

Heute gelten diese Spezialitäten als ausgesprochen modern und werden von Spitzenköchen und in modifizierter Zubereitung als **New Irish Cuisine** vermarktet. Dabei stützt sich die neue irische Küche auf traditionelle Zutaten, die oft aus lokalen, familiengeführten Betrieben stammen.

Köstlich ist nach wie vor der fangfrische **Atlantikfisch,** dazu kommen Langusten und Hummer und die legendären Austern von Galway.

Probieren Sie auch die köstlichen **Käsesorten:** die irischen *farmhouse cheeses*, deren Produzenten sich zusammengeschlossen haben zur angesehenen Irish Farmhouse Cheesemakers Association. Inselweit populär ist der *Gubbeen* genannte Schnittkäse von würzigem Geschmack, während Rohmilchsorten wie *Giggingstown, Young Buck, Carlow Cheese* und *Burren Gold* sich durch ihr leicht scharfes Aroma auszeichnen. Zu einem Glas Rotwein wie zum Sherry ideal ist der nach wie vor in Handarbeit hergestellte *Cashel Blue*, ein Blauschimmelkäse aus Tipperary.

Kinsale lancierte bereits 1976 den ersten **Good Food Circle** (www.kinsalerestaurants.com), einen Zusammenschluss von Restaurants der gehobenen Kategorie, die für beste Zutaten und hohe Qualität der angebotenen Gerichte sowie ein ansprechendes Ambiente stehen. Jedes Jahr im Oktober findet eine Gourmet-Festivalwoche statt.

Die **Essenszeiten** sind: Frühstück von etwa 7.30/8 bis 10/10.30 Uhr, Lunch von 12/12.30 bis 14.15/14.30 Uhr, Dinner von etwa 19.30 bis 21.30/22.30 Uhr. Teurere Restaurants bieten häufig ein frühes Abendessen (*early bird dinner*, meist bis 19 Uhr) zu günstigen Preisen an. Auch das Lunch-Angebot hochpreisiger Spitzenrestaurants ist eine tolle Gelegenheit, für wenig Geld in den Genuss vorzüglicher Küche zu kommen.

Richtwert für **Trinkgeld** beträgt zehn bis 15 Prozent, je nach eigenem Ermessen und Zufriedenheit.

EINKAUFEN

Strickpullover von den Aran-Inseln und regendichte, grüne Wachsjacken, handgetöpferte Schalen sowie Krüge und schwere Gläser aus Waterford-Kristall: In Irland kaufen Sie praktisch und traditionell, nämlich Klassiker, die seit Generationen Teil des irischen Alltagslebens sind.

Hergestellt aus Schurwolle und verarbeitet in Naturtönen, aber auch in leuchtenden bunten Farben, können Sie handgearbeitete **Strickpullover** von den Aran-Inseln und aus Donegal heute überall auf der Insel erwerben. Achten Sie auf die Etiketten, die Hinweis auf Qualität und zu erwartende Preise geben. Wunderschön, weich und warm sind die von Hand gestrickten Pullover (*hand-knitted*), während es sich bei der Bezeichnung *hand-loomed* um etwas preisgünstigere Exemplare handelt, die mit einer Strickmaschine hergestellt sind. Die beliebtesten Muster basieren auf keltischen Ornamenten. Daneben tauchen immer wieder Bienenwaben auf, die Glück symbolisieren, während die drei miteinander verbundenen Brombeeren für die Trinität stehen und ein doppeltes Zickzackmotiv das Auf und Ab des Lebens zeigt.

Dublin und Belfast haben die größte Auswahl an Geschäften im ganzen Land, was irische **Mode und Antiquitäten** betrifft. Cork ist kleiner und selektiver und auch Galway besitzt eine vorzügliche Auswahl kleiner Galerien, Boutiquen und Fachgeschäfte. Antiquitäten gibt es in Irland immer noch gut zu kaufen, obwohl die Tage der schnellen Schnäppchen vorbei sind. Belfast, Dublin, Cork, Galway und Limerick sind gute »Jagdgründe« und in Zeitungen finden sich Hinweise auf Auktionen, die oft außerhalb der Städte stattfinden.

Auf traditionellen Mustern basieren häufig die in kleinen Werkstätten hergestellten **Ketten, Broschen und Ringe.** Schauen Sie sich um in Antiquitätenläden und beachten Sie auch modernen Designerschmuck.

Eine Kostbarkeit ist geschliffenes **Bleikristallglas,** das in Irland seit dem 18. Jh. gefertigt wird, vor allem jenes aus Waterford erlangte Weltruf. Wer mag, kann sich im Besucherzentrum mit den kostspieligen Glaswaren eindecken.

Irischer **Whiskey** ist weltberühmt. Vor Ort weit verbreitet sind Marken wie Jameson, Paddy's, Powers und Bushmills. Zur Besichtigung einer der Brennereien (Old Jameson Distillery in Dublin; Old Midleton Distillery im County Cork und Bushmills

Distillery im County Antrim) gehört eine Whiskeyprobe; ungewöhnliche Kompositionen können Sie dann vor Ort kaufen.

Baileys verdankt seine Schöpfung dem Bestreben, die in Irland in bester Qualität produzierten Grundstoffe Sahne und Whiskey weltberühmt zu machen. Ebenso wie **Irish Mist,** ein recht süßer Likör aus Whiskey und Honig, ist Baileys fast in jedem Supermarkt oder Off License zu kaufen.

Leinen ist ein Luxus, den man sich in Irland nur zu gern gönnt, schon allein wegen seiner Strapazierfähigkeit. Hauptlieferant ist Nordirland. Neben klassischer Tisch- und Bettwäsche kommen auch hochmodische Kreationen infrage, wie sie immer häufiger verkauft werden.

Tweeds des berühmten Labels Magee und in den Farben der irischen Landschaften sind ebenfalls zeitlos. Am besten kaufen Sie Klassiker wie Damenblazer und Herrensakkos in den kleinen, überall auf der Insel zu findenden Fachgeschäften. Ein Paradies für Tweed-Waren ist die Grafschaft Donegal, wo auch diverse Manufakturen ansässig sind.

Kreditkarten werden weithin akzeptiert, lediglich in kleinen Kunstgewerbeläden zahlt man bar.

Geschäftszeiten

Normalerweise sind die Geschäfte Montag bis Samstag von 9/10 bis 17/18.30 Uhr geöffnet, mit begrenzten Zeiten am Sonntag. In den Städten geht es donnerstagabends bis 20 Uhr. In ländlichen Gebieten schließen manche Läden noch einen Nachmittag (meist Mittwoch oder Samstag).

AUSGEHEN

Geselligkeit wird großgeschrieben in Irland, und Pubs sind so etwas wie öffentliche Wohnzimmer, in denen man die jüngsten Neuigkeiten erfährt, ein Guinness trinkt und sich bei Musik entspannt. Besucher können unter unzähligen Pubs wählen, darunter jahrhundertealten Kneipen mit schiefen Steinböden, offenen Kaminen und Eichenholzvertäfelungen an den Wänden. Einfach reinschauen und bei Gefallen bleiben.

Zuschauersport

Pferderennen sind ein zentraler Bestandteil des irischen Sportlebens; es gibt über zwei Dutzend Rennbahnen, fast täglich findet irgendwo ein Rennen statt. Sie erfahren Näheres bei Horse Racing Ireland (www.goracing.ie).

Erkundigen Sie sich nach **gälischem Fußball** und **Hurling,** beides sind schnelle und spannende Spiele (www.gaa.ie). Weitere beliebte Sportarten für Zuschauer sind Soccer (also »unser« Fußball), Rugby, Boxen, Mixed Martial Arts und Rallyes.

Aktivitäten im Freien

Irland ist ein **Golfer-Paradies,** es gibt über 400 Greens, darunter etliche von Weltklasse. Die Golfing Union of Ireland (www.golfnet.ie) erteilt Auskunft.

Wandern ist seit jeher populär, es gibt zahlreiche Fernwanderwege. Beliebt im Süden ist der Kerry Way (214 km); der 1000 km lange Ulster Way im Norden, der Nordirland einmal umrundet, ist unterteilt in kleinere Etappen von bis zu 52 km Länge (www.irishtrails.ie, www.walkni.com).

Weltberühmt ist der **Wild Atlantic Way,** eine 2500 km lange Panoramastrecke und eine der längsten Küstenstraßen der Welt, die auch von Wanderern immer wieder auf kleinen Etappen erkundet wird. Logo ist eine blaue Welle – was sonst, denn das Meer haben Sie fast immer im Blick! Aber nicht zu sehr ablenken lassen, der Verkehr ist heftig.

VERANSTALTUNGSKALENDER

Irlands Festtagskalender ist randvoll mit Ereignissen, vom Pferderennen bis zum Streichholzbasteln, doch die Feiern zu Ehren von St. Patrick stellen alles in den Schatten.

Januar

TradFest: Irische Musik und Kultur in Dublin (www.tradfest.com)
Out to Lunch Festival: Theater, Comedy und Literatur in Belfast (www.cqaf.com)

Februar

Dublin International Film Festival: Kino und andere Kultur in Dublin (www.diff.ie)

März
Tedfest: Party-Wochenende für Fans der Kultserie »Father Ted« in Inishmore auf den Aran Islands (www.tedfest.org)
St. Patrick's Day: Irlands Mutter aller Partys – vor allem in Dublin geht es hoch her (www.stpatricksfestival.ie)

Ostern
Irish Grand National: in Fairyhouse bei Dublin, Irlands wichtigstes Pferderennen (www.fairyhouse.ie)

Mai
Northwest 200: berühmtes Straßenrennen für Motorräder zwischen den nordirischen Städten Portrush, Portstewart und Coleraine (www.northwest200.org)

Juni
Irish Derby: hochdotiertes Pferderennen, gesellschaftliches Ereignis auf dem Curragh Racecourse in Kildare (www.curragh.ie)

Juli
The Twelfth: Paraden am und um den 12. Juni zum Gedenken an die Schlacht am Boyne 1690, ein politisch brisantes Spektakel (www.paradescommission.org)
Galway Arts Festival: Irlands wichtigstes Kunstfestival und eine große Kunstparty, zwei Wochen lang gibt es Musik und Tanz, Theater und Comedy (www.giaf.ie)

August
Ballyshannon Folk & Traditional Music Festival: viertägiges Musikfestival mit traditioneller irischer Musik (www.bally shan nonfolkfestival.com)
Féile An Phobail: nationalistisches Kulturfestival (vor allem) in West Belfast (www.feilebelfast.com)
Ould Lammas Fair: jahrhundertealtes Marktspektakel, zu kaufen gibt es alles – von Pferden über Seegras bis zu Yellowman-Toffees.
Rose of Tralee International Festival: in Kerry wird die lieblichste aller irischen Frauen gekürt (www.roseoftralee.ie)
Kilkenny Arts Festival: Musikfestival mit viel Atmosphäre (www.kilkennyarts.ie)

Spätsommer/Frühherbst
All-Ireland Senior Football and Hurling Finals: Event des Jahres im Kalender der GAA *(Gaelic Athletic Association)* im Croke Park von Dublin (www.gaa.ie)

September
Dublin Fringe: multidisziplinäres Festival mit Musik, Theater, Comedy, Tanz und Zirkus (www.fringefest.com)
Galway International Oyster Festival: Meeresfrüchte satt (www.galwayoysterfestival.com)
Lisdoonvarna Matchmaking Festival: Verkupplungs-Fest im County Clare (www.matchmakerireland.com)

Oktober
Belfast International Arts Festival: Kunstevent mit Theater, Tanz, Bildender Kunst, Literatur und Musik (www.belfastinternatio nalartsfestival.com)
Wexford Festival Opera: Irlands sehenswerte Operngala im eigens erbauten Theater (www.wexfordopera.com)

Dezember
Christmas Racing Festival: mehrtägiges Pferderennen in Leopardstown (bei Dublin), am 26. beginnend (www.leopardstown.com)

SPRACHE

Offizielle Sprache der Republik Irland ist Irisch. Aber keine Sorge, diese inselkeltische Sprache müssen Sie nicht meistern, die meisten Iren tun es nämlich auch nicht. Stattdessen verwendet man die »zweite Sprache« – nämlich Englisch. Das hat in Irland zwar so seine Eigenheiten, ist aber weitaus weniger problematisch, als man meinen könnte.

Einen Zusammenhang zwischen Irisch und Englisch (oder gar dem in Nordirland gesprochenen Ulster-Scots) besteht eigentlich nur in Lehnwörtern. Ansonsten sind Vokabular und Grammatik einander so fremd wie etwa Deutsch und Polnisch. Neugierig geworden? Ein paar Einblicke in die Herkunft irischer Ortsnamen bekommen Sie auf Seite 24.

Reiseatlas

Legende

- M1 Autobahn mit Nummer
- E 18 Schnellstraße mit Europastr.-Nr.
- 4 Fernstraße mit Nummer
- Hauptstraße
- Nebenstraße
- Straße in Bau / in Planung
- Eisenbahn
- Fähre
- Staatsgrenze
- Naturschutzparkgrenze
- Naturpark
- Internationaler Flughafen

- Museum; Hochkreuz
- Badestrand
- Burg, Schloss; Ruine
- Kloster; Klosterruine
- Kirche; Kirchenruine
- Sehenswürdigkeit
- Archäologische Stätte
- Höhle
- 2 ★★ TOP 10
- 11 Nicht verpassen!
- 12 Nach Lust und Laune!

1 : 950 000

0 — 25 — 50 km

0 — 12.5 — 25 mi

A
B
C
5
4
3
2
1
Atlantic Ocean
Benwee Head
Portacloy
232m
Porturlin
Port Durlainne
Erris Head
Broad Haven
Belderrig
Céide Fields
55
314
132m
Pollatomish
Glenamoy
Gleann na Muaidhe
380m
Corclogh
Belmullet
Béal an Mhuirthead
Barnatra
Erris
232m
Carrowmore Lough
332m
The Mullet
313
Inishkea North
Bangor
152m
Inishkea South
Each Léim
Blacksod Bay
Gaoth Sáile
105m
Owenmore
368m
Dooleeg
N59
Duvillaun More
64m
722m
Deel
Achill Island
Doona
Bangor Trail
Ballycroy National Park
312
Slievemore
672m
Doogort
54
629m
Croaghan Mtn.
668m
Ballycroy
Nephin Beg Range
Deserted Village
N59
700m
Achill Head
Keem
Dooagh
Keel
Bunacurry
714m
466m
Achill Sound
383m
Lough Feeagh
Beltra Lough
Cliff Scenery
Curraun
Mulrany
Derreen
543m
Newport
Cloghmore
Carrickahowley Castle
Castlebar
Caisleán an Bharraigh
Clew Bay
463m
Murrisk Abbey
Westport
N5

226

D
E
F
5
4
3
2
Tory Island
(Toraigh)
West Town
Tory Sound
Horn Head
Downies
I. Inishbofin
Duntanaghy
Bloody Foreland Head
Meen
Laragh
Falcarragh
An Fál Carrach
Creeslough
670m
Gortahork
Gort an Choirce
Gola Island
Derrybeg
431m
Glenveagh
Castle
Bunbeg
An Bun Beag
Gweedore
Gaoth Dobhair
Errigal Mountain
752m
Glebe
Donegal
Airport
Dunlewy
Lough
Veagh
Lough
Nacung
Glenveagh
National Park
58
Leabgarrow
Burtonport
Ailt an Chorráin
Aran More Island
Árainn Mhor
Derryveagh Mtns.
683 m
Churchhill
Dungloe
An Clochán Liath
Doocharry
An Dóchoraidh
Rashedoge
Gweebarra
Bay
Letterma-
caward
Wild Atlantic Way
Fintown
Baile na Finne
Cloghan
Portnoo
Naran
Dawros Head
Maas
Glenties
Na Gleannta
Altnapaste
Glendorrogha
Blue Stack Mts.
Glen
Bay
Folk Village
An Cláchan
Glengesh
Pass
Ardara
Meenacross
Lough
Eske
Glencolumbkille
473m
Malinbeg
Carrick
An Charraig
57
Mountcharles
Killybegs
Donegal
Lough
Derg
Slieve League
Teelin
Kilcar
Cill Charthaigh
Dunkineely
Laghy
Bunglass Point
Rossnowlagh
Ballintra
St. John's
Point
Pettigoe
Donegal Bay
Ballyshannon
Boa Island
Mullaghmore
62
Belleek
Lower Lough
Bundoran
Inishmurray
Roskeeragh
Point
Cliffony
Kinlough
Forest
Cliffs of Magho
Creevykeel
Garrison
Derrygonelly
Grange
Lough
Melvin
Lissadell House
Benbulben
Rossinver
527m
Downpatrick
Head
Raghly
High
Cross
Glencar
Lough
Kiltyclogher
Lough
Macnean
Upper
Drumcliff
Rathlackan
Wild Atlantic Way
Easky
Sligo Bay
Rosses Point
Sligo
Sligeach
465m
Manorhamilton
Ballycastle
Killala
Bay
Blacklion
Rathfran
Abbey
Dromore
West
Strandhill
56
Parke's
Castle
Kilglass
Knocknarea
Carrowmore
Lough Gill
Church
Island
Dromahair
Gubaveeny
Marble Arch
Florence
Killala
Inishcrone
(Enniscrone)
Culleens
Knockalongy
Beltra
Moyne Abbey
544m
Ballysadare
Ballintogher
Dowra
Collooney
Ballina
Béal an Átha
Coolaney
Coola
Drumkeeran
Ballinagleragh
Ox Mts.
277m
Unshin River
458m
Lough
Allen
Iron Mount
Crossmolina
417m
Cloonacool
Ballymote
Arigna
Castlehill
Lough Conn
Moy
370m
Slieve Gamph or the
Mullany's
Cross
Tobercurry
362m
Lough
Arrow
Ballyfarnan
586m
Nephin
807m
Aclare
Carrowkeel
Keadew
Drumshanbo
Banada
Bunnanaddan
Ballinafad
Lough
Key
Erne
Cloghbrack
Moy
Curry
Gorteen
Boyle
Abbey
Boyle
Leitrim
Beltra
Pontoon
Foxford
Charlestown
197m
Carrick-on-Shannon
Cara Droma Rúisc
430m
Strade Abbey
Carracastle
Lough
Gara
Ratallen
Cross Roads
Drumsna
Museum of
Country Life
Swinford
Lurga
237m
Knock
Airport
Bellavary
Ballaghaderreen
138m
Kilkelly
Tawnyinah
Turlough
Bohola
137m
Clogher
Kiltamagh
Frenchpark
227
223
Elphin
Lough
Boderg
260m
Loughglinn
180m
Bellanagare
Balla
N15
N56
N59
N26
N58
N5
N17
N4
N16
N61
257
259
251
250
262
263
232
47
40
280
297
294
293
200
207
209
202
245

A
B
C
5
4
3
2
1
Malin Head
Ballygorman
Tory Island (Toraigh)
West Town
Tory Sound
Horn Head
Fanad Lighthouse
Fanad
Fort Dunree
Lough Swilly
Inishowen
Kinnagoe Bay
Lough Foyle
Limavady
Donegal Airport
Glenveagh Castle
Glebe House and Gallery
Colmcille Heritage Centre
Glenveagh National Park
Errigal Mountain 752m
Derryveagh Mts. 683 m
Letterkenny
Grianan of Aileach
DERRY/ LONDONDERRY
Strabane
Sperrin Mountains
Fintown Railway
Blue Stack Mts.
Donegal
Lough Derg
Lough Eske
Ulster American Folk Park
Ulster History Park
Omagh
NORTHERN IRELA
Cliffs of Magho
Lower Lough Erne
Castle Archdale Country Park
Round Tower
Enniskillen
Castle Coole
Marble Arch
Florence Court
Sligo Sligeach
Parke's Castle
Creevykeel
Lough Gill
Upper Lough Erne
Crom Castle
Monaghan
Iron Mountains
Boyle Abbey
Carrick-on-Shannon Cara Droma Rúisc
Cavan
Lough Allen
Lough Arrow
Lough Key
Lough Sillan
Lough Gowna
57
58
59
61
62
65
66
67
68
69
223
224
228

D
E
F
5
4
3
2
I
Benn na Lice
428m
Feochaig
Southend
Mull of Kintyre
St. Columba's Footsteps
Sanda Island
North Channel
Bull Point
Rathlin Island
Rathlin Sound
Rue Point
Benbane Head
White Park Bay
Giant's Causeway
Portballintrae
Carrick-a-Rede Rope Bridge
Ballintoy
Fair Head
Whiterocks Beach
Portrush
Dunseverick Castle
Dunluce Castle
Bushmills
Bushmills Destillery
Ballycastle
Portstewart
Knocklayd
517m
382m
Glenshesk
Articlave
Coleraine
Macosquin
Derrykeighan
Dervock
Stranocum
Armoy
Glendun
Cushendun
Glenaan
Cushendall
Ossian's Grave
Drumdallagh
Ballymoney
Trostan
554m
Glenballyemon
Glenariff
Ringsend
Clogh Mills
Bann
402m
Garvagh
Rasharkin
Newtown-Crommelin
436m
Carnlough
Glenarm
Antrim Mountains
Cloghy
Kilrea
Glencloy
Boviel
464m
The Sheddings
Ballygalley
Cullybackey
Broughshane
Carncastle
Black Cave Tunnel
Upperlands
Portglenone
Ballymena
Larne
Island Magee
Maghera
Ahoghill
Moorfields
Kilwaughter
Glynn
Tobermore
Bellaghy
354m
Kells
Lough Beg
Ballycarry
Draperstown
Ballyclare
Ballynure
Desertmartin
Magherafelt
Randalstown
Doagh
Whitehead
Slieve Gallion
529m
Toome
Round Tower
Antrim
Newtown-abbey
Carrickfergus
Templepatrick
Ulster Folk and Transport Museum
Copeland Island
Ballyronan
Moneymore
Lough
Belfast Lough
Helen's Bay
Bangor
Donaghadee
Coagh
Newport Trench
Belfast Int'l Airport
Belfast Castle
Cultra
Holywood
Cookstown
Crumlin
Belfast City Airport
Millisle
Ardboe
Stormont
Glenavy
Dundonald
Newtownards
Carrowdore
Neagh
Comber
Ards Peninsula
Ballywalter
Stewartstown
BELFAST
Mount Stewart House and Gardens
Greyabbey
Coalisland
Aghalee
Lisburn
Carryduff
Ballyhalbert
Kircubbin
Dungannon
Ballygowan
Burr Point
The Temple
Gardens of Rowallane
Moira
Lagan
Greystone
Moy
Lurgan
Hillsborough
Saintfield
Cloghy
Portadown
Craigavon
Dromore
Killyleagh
Strangford Lough
Aquarium Exploris
Benburb
Blackwatertown
Ballynahinch
Portaferry
Loughgall
Dromara
Crossgar
Castle Ward
Richhill
Banbridge
Strangford
Caledon
Armagh
535m
Downpatrick
Saul
Navan Fort
Tandragee
Scarva
Killard
Ballyquintin Point
Tynan
Clare
Kates-bridge
Middletown
Loughbrickland
Down Cathedral
Markethill
Poyntz Pass
Ballyward
Clough
Ardglass
Ballyroney
Tyrella
Keady
Castlewellan
Dundrum
Killough
Jordan's Castle
367m
St. John's Point
Rathfriland
Clontibret
Newtown-hamilton
Bessbrook
Derrymore House
Newcastle
Dundrum Bay
Carnagh
Belleek
Hilltown
Mourne Mountains
Slieve Donard
852m
746m
Camlough
Newry
Mayobridge
Narrow Water Castle
Slieve Gullion Forest Park
Slieve Gullion
577m
Warrenpoint
Castleblayney
Rostrevor
Annalong
238m
Crossmaglen
Forkhill
510m
Lisnacree
Omeath
Cullaville
Kilkeel
Shantonagh
Fane
Cooley
Carlingford
Greencastle
Cranfield Point
Shercock
Dundalk
Dún Dealgan
Riverstown
Boharboy
Iniskeen
Chanonrock
Carrickmacross
Blackrock
Louth
Dundalk Bay
Glyde
Kingscourt
Castlebellingham
Annagassan
Ardee
Drumcondra
Togher
Dee
Nobber
Dunleer
229

A
B
C
222
5
4
3
2
1
Achill Head
Keem
668m
Dooagh
Keel
Deserted Village
Bunacurry
466m
Achill Sound
Cliff Scenery
Derreen
Cloghmore
Curraun
543m
Mulrany
N59
383m
Wild Nephin National Park
714m
Beg Range
700m
Lough Feeagh
Beltra Lough
Newport
Carrickahowley Castle
Clew Bay
Castlebar
Caisleán an Bharr
Westport
N5
Aghagower
463m
Clare Island
Murrisk Abbey
Murrisk
Louisburgh
Croagh Patrick
765m
Roonah Quay
Liscarney
Cregganbaun
Inishturk
192m
Killadoon
273m
335
Doo Lough Pass
N59
394m
47
Inishbofin
Inishkea
Bofin
Killary Harbour
Mweelrea
819m
Delphi
Erriff
Partry Mountains
673m
Rosroe
Kylemore Abbey
Leenane
Lough Nafooey
Maumtrasna
Cleggan
Letterfrack
336
Connemara National Park
The Twelve Pins
730m
Finnisclin
Joyce Country
418m
703m
Maam
345
Mannin Bay
Clifden
N59
Connemara
Lough Inagh
46
Maam Cross
Recess
Ballyconneely
342
Cashel Bay
301m
341
Wild Atlantic Way
Roundstone
Derryrush
347m
355m
Scríob
Glinsk
Glinsce
340
Ros Muc
Cārna
336
Mace Head
Killciaran
Cill Ciaráin
Casla
166m
Kilkieran Bay
Carraroe
An Cheathrú Rua
Rossaveel
Ros an Mhil
Lettermullen
Leitir Meallāin
Indreabhán
Atlantic
Ocean
North Sound
Galway
Kilmurvey
Dun Aenghus
Kilronan
Inishmore
124m
Killeany
45
Inishmaan
Ailladie
Aran Islands
Oileáin Árainn
Inisheer
South Sound
Lisdoonvarna
Doolin
O'Brian's Tower
4
Cliffs of Moher
St. Brigid's Well
Liscannor
Lahinch
Liscannor Bay
Miltown Malbay
Spanish Point
Quilty
Mutton Island
Shanavogh
Mal Bay
Creegh
Doonbeg
N67
Kilmihil
Doonbeg
Cooraclare
Kilkee
Kilkee Cliffs
138m
Loop Head Drive
Doonaha
Kilrush
Knock
Scattery Island
N67
Killimer
Kilbaha
Carrigaholt
Loop Head
Carrigafoyle Castle
Tarbert
Glin Castle
Ballylongford
Ballybunnion
268m
Lisselton
Mouth of the Shannon
230
N69

Banada
Curry
Ballinafad
Lough Key
Boyle Abbey
Boyle
223
Leitrim
Cloghbrack
Pontoon
Foxford
Charlestown
Carracastle
Gorteen
197m
Carrick-on-Shannon
Cara Droma Rúisc
Beltra
430m
Strade Abbey
Swinford
Lough Gara
Ratallen Cross Roads
Drumsna
Mohill
Museum of Country Life
Knock Airport
Lurga
237m
138m
Bellavary
Kilkelly
Tawnyinah
Ballaghaderreen
Turlough
Bohola
Frenchpark
137m
Clogher
Dromod
Kiltamagh
260m
Elphin
Lough Boderg
Balla
Loughglinn
180m
Bellanagare
Knock
Strokestown House (Famine Museum)
Rathcroghan
Ballintubber Abbey
Ballyhaunis
Castlerea
Tulsk
Strokestown
Ballyglass
Castleplunket
Castle Forbes
Lough Carra
Claremorris
157m
Ballinlough
Brickeens
Ballintober
261m
Curraghroe
Partree
Cloonfad
Ballymoe
Four Mile House
Killashee
Ballindine
135m
Tourmakeady
Hollymount
Williamstown
Lanesborough (Ballyleague)
148m
115m
Ballinrobe
Milltown
Roscommon
Emmoo
Lough Mask
Sinking
Dunmore
Glennamaddy
Suck
Corlea Trackway Visitor Centre
Neale
Kilmaine
Creggs
Passage
103m
Clunbur
Cong Abbey
Kilkerrin
Clonbern
Rindown Castle
REPUBLIC
Cong
Shrule
Athleague
Lecarrow
Ballymahon
Lough Corrib
69m
Tuam
Newbridge
134m
IRELAND
Belclare
Moylough
Ballygar
Ross Errilly Abbey
168m
Barnaderg
Lough Ree
Headford
Horseleap
Mount Bellew
Shiven
Ballyforan
Aughnanure Castle
Clare
Abbert
Kiltoom
Menlough
Caltra
Carrowmoreknock
Ardnasodan
108m
Castleblakeney
Athlone
Aucloggeen
Glentane
Ahascragh
92m
Dundonnell
293m
126m
Ballymacward
Moycullen
Monivea
Gorteen
Ballindooly Castle
Claregalway
Ballydangan
155m
Kilconnell
Ballinasloe
GALWAY
GAILLIMH
Galway Airport
Athenry
New Inn
Aughrim
Clonmacnoise
Raford
Salthill
Kiltullagh
Kellys Grove
Shannonbridge
Clondelara
Oranmore
The Turoe Stone
Suck
Laurencetown
Clonfert
Clonoly
Spiddle
An Spidéal
Wild Atlantic Way
Clarinbridge
Kiltormer
29m
Cloghan
Kilcolgan Point
Kilcolgan
Ballydavid
Eyrecourt
Shannon Harbour
Bay
Kilchreest
Loughrea
Banagher
Dunguaire Castle
Killimor
Meelick
Black Head
Burren
Ardrahan
228
Ballyvaughan
Corcomroe Abbey
Kinvara
Thoor Ballylee
214m
Kylebrack
Tynagh
Abbey
Aillwee Cave
The Burren
Poulnabrone Dolmen
368m
Slieve Aughty Mountains
Portumna
Birr
Kilcrow
Gort
Derrybrien
Woodford
Clareen
Caherconnell
Caherconnell Stone Fort
Kilmacduagh
Lough Cutra
Lough
Gorteeny
Ballingarry
213m
Leamaneh Castle
Burren National Park
Ballinderry
Kilfenora
Killinaboy
Lough George
Flagmount
Derg
Borrisokane
Shinrone
Ennistimon
Lough Inchiquin
401m
Caher
379m
157m
Mt. St. Joseph Abbey
Lahinch Seaworld
Corrofin
Crusheen
Mountshannon
Whitegate
Cloghjordan
Dysert O'Dea
Feakle
Inishcealtra (Holy Island)
Puckaun
183m
Dunkerrin
224m
Bodyke
Scarriff
Portroe
Inagh
Barefield
Tulla
Slieve Bernagh
237m
Ennis
Inis
Arran Mountains
Nenagh
Moneygall
Slieve Callan
391m
Quin Abbey
462m
Quin
Kilkishen
Glennagalliagh
533m
Killaloe
Toomyvara
Clarecastle
481m
Derragh
Knappogue Castle
Craggaunowen Project
Broadford
Dolla
Templemore
176m
Fergus
Birdhill
Silvermine Mts.
Lissycasey
Newmarket-on-Fergus
Hurlers Cross
Sixmilebridge
O'Briensbridge
Keeper Hill
695m
Borrisoleigh
Cloonlara
Ballynacally
Shannon Airport
Bunratty Castle & Folk Park
63m
Newport
Upperchurch
Ballycahill
Killadysert
Bunratty
Anna-cotty
Rear Cross
Milestone
Holycross Abbey
River Shannon
465m
Pallaskenry
New Kildimo
LIMERICK
LUIMNEACH
Moroe
428m
Clodiagh
Labasheeda
Celtic Theme Park
71m
Clarina
Golden Vale
Cappamore
Holycross
Horse
82m
Foynes
Kilcornan
Patrickswell
Doon
Cappagh White
Good's Cross
174m
Askeaton
Caherconlish
Ballagh
Glin
Shanagolden
Deel
Adare
New Pallas Grean
Dundrum
Maigue
Fedamore
Pallas Grean
Donohill
Rathkeale
Herberts-town
231
Suir
Rock of Cashel
Cashel
Arda
Croom
Meanus
Lough Gur
Golden
Hore Abbey
Holycross
125m

REPUBLIC OF IRELAND
Ballinafad
Lough Arrow
Boyle Abbey
Boyle
Leitrim
Carrick-on-Shannon
Cara Droma Rúisc
Drumsna
Mohill
Fenagh
Garvagh
Cloone
Killashandra
Garadice Lough
Carrigallen
Crossdoney
Cavan
Ballyhaise
Stradone
Lough Sillan
Canningstown
Ratallen Cross Roads
Frenchpark
Clogher
Elphin
Lough Boderg
Dromod
Farnaght
Moyne
Arvagh
Scrabbi
Drumlish
Lough Gowna
Dring
Bellanagh
Cross Keys
New Inn
Bailieborough
Ballyjamesduff
Virginia
Mullagh
Lough Sheelin
Lough Ramor
Bellanagare
Rathcroghan
Strokestown House (Famine Museum)
Strokestown
Tulsk
Castleplunket
Castle Forbes
Newtown Forbes
Ballinalee
Granard
Finnea
Abbeylara
Oldcastle
Carnaross
Lisryan
Loughcrew Cairns
Crossakeel
Ballintober
Four Mile House
Curraghroe
Killashee
Lanesborough (Ballyleague)
Longford
Ardagh
Edgeworthstown
Coole
Fore
Cross Keys
Lough Lene
Castlepollard
Lough Derravaragh
Collinstown
Clonmellon
Athboy
Roscommon
Emmoo
Corlea Trackway Visitor Centre
Keenagh
Rathowen
Multyfarnham
Bunbrosna
Crookedwood
Delvin
Creggs
Athleague
Rindown Castle
Ballymahon
Ballynacarrigy
Moyvore
Lough Owel
Rathconrath
Mullingar
Killucan
Ballivor
Lecarrow
Ballygar
Tang
Lough Ree
Glassan
Ballymore
Loughanavally
Belvedere House
Lough Ennell
Gaybrook
Kinnegad
Ballyforan
Kiltoom
Ballykeeran
Athlone
Castletown
Rochfortbridge
Caltra
Castleblakeney
Ahascragh
Ballymacward
Dundonnell
Moate
Horseleap
Ballynagore
Tyrrellspass
Carbury
Fardrum
Kilbeggan
Durrow Abbey
Derrygolan
Edenderry
Ballinasloe
Ballydangan
Ballynahown
Clonmacnoise
Clara
Ballycumber
Tullamore
Daingean
Grand Canal
Aughrim
Kellys Grove
Shannonbridge
Clondelara
Ferbane
Brosna
Clodiagh
Clonbullogue
Bog of Allen
Rathangan
Kiltormer
Laurencetown
Clonfert
Clonony
Cloghan
Blue Ball
Ballinagar
Ballydavid
Eyrecourt
Meelick
Banagher
Shannon Harbour
Lough Boora
Killeigh
Cushina
Kildare
Killimor
Kilcormac
Clonaslee
Clonygowan
Portarlington
Tynagh
Abbey
Rosenallis
Monasterevin
Slieve Bloom Mountains
Birr
Kinnitty
Killyon
Arderin
Mountmellick
Emo Court
Emo
Ballybrittas
Fontstown
Portumna
Lough Derg
Gorteeny
Ballingarry
Clareen
Boheraphuca
Portlaoise
Rock of Dunamase
Stradbally
Athy
Ballinderry
Borrisokane
Shinrone
Mountrath
Nore
Whitegate
Inishcealtra (Holy Island)
Puckaun
Cloghjordan
Mt. St. Joseph Abbey
Roscrea
Borris in Ossory
Castletown
Ballyroan
Timahoe
Ballylynan
Dunkerrin
Aghaboe
Abbeyleix
Portroe
Arra Mountains
Nenagh
Moneygall
Ballybrophy
Ballycolla
Ballinakill
Ballickmoyler
Killaloe
Toomyvara
Errill
Rathdowney
Durrow
Newtown
Carlow
Dolla
Templemore
Castlecomer
Silvermine Mts.
Keeper Hill
Templetouhy
Ballyragget
Newport
Borrisoleigh
Johnstown
Freshford
Leighlinbridge
Rear Cross
Upperchurch
Ballycahill
Thurles
Durlas
Urlingford
Dunmore Cave
Muine Bheag
Milestone
Moroe
Holycross Abbey
Gortnahoo
Kilcooley Abbey
Kilkenny
Cill Chainnigh
Whitehall
Cappamore
Doon
Cappagh White
Ballagh
Holycross
Good's Cross
Horse
Twomileborris
Littleton
Kilmanagh
Gowran
Blanchville House
Golden Vale
New Pallas
Ballingarry
Kilree
Bennettsbridge
Dungarvan
Tullaherin
Graiguenamanagh
Dundrum
Donohill
Ballinure
Killenaule
Kings R.
Callan
Kells
Stoneyford
Thomastown
Rock of Cashel
Cashel
Golden
Hore Abbey
Mullinahone
Jerpoint Abbey

Dundalk
Dún Dealgan
Dundalk Bay
Cranfield Point
225
Shantonagh
Shercock
Carrickmacross
Iniskeen
Channonrock
Louth
Blackrock
Kingscourt
Castlebellingham
Annagassan
Drumcondra
Ardee
Togher
Nobber
Dunleer
Grangebellew
Monasterboice
Collon
Moynalty
Clogherhead
Carlanstown
Brú na Bóinne
Mellifont Abbey
Termonfeckin
Wilkinstown
Drogheda
Droichead Átha
Kells
Ceanannas
Slane
Oldbridge
Newgrange
Dowth
Bettystown
Laytown
Knowth
Battle of the Boyne
Julianstown
Navan
Duleek
Gormanston
Balrath
Balbriggan
Balrothery
Irish Sea
Skryne
Ardcath
Clonalvy
Naul
Skerries
Tara
Trim
Bective
Garristown
Trim Castle
Lusk
Ballyboghill
Rush
Lambay Island
Laracor
Dunshaughlin
Ashbourne
Donabate
Portraine
Ratoath
Rathmolyon
Summerhill
Newbridge House
Swords
Malahide Castle
Malahide
Mullagh
Longwood
Dublin Airport
Portmarnock
Ireland's Eye Island
Royal Canal
St. Doulagh's Church
Kilcock
Clonee
Howth
Innfield
Maynooth
Blanchardstown
Leixlip
Donadea
Lucan
DUBLIN
BAILE ÁTHA CLIATH
Celbridge
Castletown House
Clondalkin
Dublin Bay
Allenwood
Clane
Rathcoole
James Joyce Tower
Sandycove
Saggart
DÚN LAOGHAIRE
Sallins
Grand Canal
Killiney
Kilteel
Brittas
Kill
Naas
Nás
Bray
Milltown
Kilbride
Enniskerry
Bray Head
Newbridge
Blessington
Kippure
Powerscourt House and Gardens
Russborough House
Great Sugar Loaf
Greystones
Liffey
Ballymore Eustace
Poulaphouca
Kilcullen
Delgany
Irish National Stud
Hollywood
Mullaghcleevaun
Newtown
Dunlavin
Roundwood
Newcastle
Wicklow National Park
Wicklow Mountains
Rath of Mullamast
Crookstown
Glendalough
Mount Usher Gardens
Stratford
Ashford
Rathnew
Timolin
Lugnaquillia Mt.
Laragh
Wicklow
High Cross
Moone
Wicklow Head
Glenealy
Rathdrum
Baltinglass
Avondale Forest Park
Castledermot
Kiltegan
Aghavannagh
Meeting of the Waters
Rathvilly
Hacketstown
Aughrim
Avoca
Browne's Hill Dolmen
Mizen Head
Woodenbridge
Tullow
Clonmore
Arklow
Tinahely
Shillelagh
Inch
Ballon
Derry
Clonegall
Carnew
Gorey
Myshall
Bunclody
Clogh
Courtown
Mount Leinster
Camolin
Riverchapel
Borde
Ferns
Ballygarrett
Blackstairs Mountains
Kiltealy
Bann
Monamolin
Cahore Point
Marshalstown
Enniscorthy
Inis Córthaidh
Oulart
Kilmuckridge
233
D
E
F
5
4
3
2
1

226
Atlantic
Ocean
Mutton Island
Quilty
Shanavogh
Mal Bay
Creegh
Doonbeg
N67
Kilmihil
Kilkee
Doonbeg
Cooraclare
Kilkee Cliffs
138m
Kilrush
Doonaha
Scattery Island
Knock
Loop Head Drive
Killimer
Kilbaha
Carrigaholt
Loop Head
Carrigafoyle Castle
Tarbert
Glin Castle
Ballylongford
Mouth of the Shannon
Ballybunnion
268m
Lisselton
Newtown Sandes
N69
Athea
Ballyduff
Rattoo Round Tower
Listowel
Finuge
Kerry Head
219m
Duagh
Lixnaw
Six Crosses
555
Causeway
Ballyheige
Abbeyfeale
Ballyheige Bay
Banna Strand
Abbeydorney
Kilkinlea
Ardfert
Fahamore
Barrow
Slieve Mish Mountains
357m
Brandon Point
Brandon Bay
Tralee Bay
Smerwick Harbour
Brandon
Tralee
Trá Lí
Crag Cave
Brandon Mt.
953m
Fenit
Castlegregory
Tullaree
Ballydavid
Baile na nGall
Cloghane
827m
560
Camp
Baurtregaun
853m
Blennerville Windmill
N21
Castleisland
Kilmalkedar
10
Smerwick
Ceann Sibéal
Dún an Óir
Gallarus Oratory
Caherconree Fort
N22
N23
Ballyferriter
Ballynana
618m
Conair Pass
Annascaul
N86
561
Castlemaine
Scartaglin
Inishtooskert
Dunquin
Dún Chaoin
Dingle
Inch
Milltown
Maine
Farranfore
577
Blasket Islands
An Blascaod Mór
517m
Ventry
Ceann Trá
Dingle Town
An Daingean
Wild Atlantic Way
Aughils
N70
Kerry
Slea Head
Dunbeg Promontory Fort
Killorglin
Laune
Great Blasket
Aghadoe Church
Inishrickillane
Kerry Bog Village
N72
Killarney
Cill Áirne
Glenbeigh
Caragh Lake
Inisfallen Island
Feaklecally
Lough Caragh
Muckross Friary
Ross Castle
N72
Dingle Bay
691m
Kells
Ring of Kerry
Glencar
Gap of Dunloe
Lough Leane
40
Muckross House
The Pa
696m
1
Boheeshil
Torc Cascade
Killarney National Park
Doulus Head
Leacanabuaile Stone Fort
Teermoyle Mt.
775m
Carrauntoohill
1041m
Reeks
41
Ladies View
Mangerton Mtn.
840m
Glanleam Gardens
Valentia Island
Cahirciveen
Kissane's Farm
Poulgor Bridge
Skellig Experience
271m
Knights Town
Lissatinnig Br.
Macgillycuddy's
Moll's Gap
Bray Head
Portmagee
Wild Atlantic Way
500m
684m
N71
569
Derrynas
Iveragh
Kilgarvan
Kenmare
399m
Blackwater Bridge
Béal Átha an Ghaorthaidh
Lough Currane
415m
Ballinskelligs
Baile an Sceilg
Waterville
Sneem
N70
Ring of Kerry
Guagán Barra Forest Park
Skellig Islands
Parknasilla
Knockboy
707m
Bolus Head
Ballinskelligs Bay
Derrynane House
Staigue Fort
The Pass of Keimaneigh
Skellig Michael
Coomakista Pass
Caherdaniel
Kenmare River
Lauragh
Shehy Mountains
Healy Pass
Derrynane National Historic Park
Scariff Island
Ardgroom
Glengarriff
Ilnacullin Gardens
585
Beara
Caha Mountains
Garinish Island
584
Kealkill
537m
572
Eyeries
Castletown-bere
Adrigole
Cod's Head
Hungry Hill
686m
Bantry
Whiddy Island
491m
Bantry House
Allihies
Puxley Mansion
Bantry Bay
Ballydonegan
Dereentaggart Stone Circle
Bear Island
Gouladoo
Peninsula
Cullomane Cross Roads
Durrus
Dursey Head
Lehanore Hillfort
Dunboy Castle
346m
Sheep's Head
Ahakista
Kilravock Gardens
Dursey Island
N71
38
Kilcrohane
Mt. Gabriel
408m
Ballydehob
Wild Atlantic Way
Ballyroon
Dunmanus Bay
Skibbereen
Sheep's Head
Schull
592
Toormore
Liss Ard Gardens
Dunlough Castle
315m
Long I.
199m
Three Castles Head
Goleen
Roaringwater Bay
Baltimore
Lough Hyne
39
Crookhaven
Clear Island
Sherkin Island
Mizen Head
Barley Cove
Brow Head
Cape Clear
Fastnet Rock
A
B
C
5
4
3
2
1

D
E
F
Slieve Callan
391m
Quin Abbey
Quin
Clarecastle
Slieve Bernagh
Glennagalliagh
533m
Arran Mountains
462m
Killaloe
Toomyvara
481m
Templemore
228
Derragh
176m
N68
Knappogue Castle
Craggaunowen Project
Broadford
Dolla
Lissycasey
Newmarket-on-Fergus
Sixmilebridge
O'Briensbridge
Birdhill
Silvermine Mts.
Keeper Hill
695m
Borrisoleigh
Ballynacally
Shannon Airport
Hurlers Cross
Bunratty Castle & Folk Park
Cloonlara
Newport
Killadysert
Bunratty
Annacotty
Rear Cross
Upperchurch
Ballycahill
River Shannon
Pallaskenry
Moroe
Milestone
428m
Holycross Abbey
Labasheeda
Celtic Theme Park
New Kildimo
Clarina
LIMERICK
LUIMNEACH
82m
Foynes
71m
Patrickswell
Cappamore
174m
Askeaton
Kilcornan
Caherconlish
Doon
Cappagh White
Ballagh
Holycross
Good's Cross
Glin
Shanagolden
Adare
New Pallas Grean
Golden Vale
Fedamore
Herbertstown
Pallas Grean
Dundrum
Donohill
Rock of Cashel
Cashel
Rathkeale
Croom
Meanus
Lough Gur
Golden
Hore Abbey
Newtown Sandes
Ardagh
Holycross
Bruff
Hospital
Emly
Tipperary
125m
132m
Athea
Newcastle West
Knockaderry
Ballingarry
Bansha
Athassel Priory
332m
Mahoonagh
274m
Bruree
Knocklong
140m
Rockhill
Kilmallock
Galbally
Lisvarrinane
Newinn
Kilmeedy
Ballyagran
Glen of Aherlow
Blackpool
Cahir
Broadford
Charleville
Ráth Luire
Ballylanders
Cahir Castle
Mullaghareirk Mts.
Dromcolliher
Kilfinnane
Galtymore Mt.
919m
Galty Mountains
Mullaghareirk
409m
260m
Milford
Ardpatrick
Ballylooby
Ardfinnan
Feale
Dromina
519m
Knockanevin
Rockchapel
Freemount
Mitchelstown
Mitchelstown Caves
Clogheen
Liscarroll
Kilcolman Castle
Funshion
Newcastle
Ballyporeen
The Vee
Newmarket
194m
Buttevant
304m
Knockmealdown Mts.
Kildorrery
Ballydesmond
Awbeg
Doneraile
Araglin
Knocknafallia
795m
Mt. Melleray Monastery
232m
Kanturk
Castlecor
Glanworth
Kilworth
Boherboy
Castletownroche
Knocknagree
Ballyclogh
Ballyhooly
Ballyduff
Lismore Castle
Cappoquin
Banteer
Mallow
Mala
Killavullen
Fermoy
178m
Lismore
Blackwater
Rathmore
Lombardstown
429m
Tallowbridge
181m
Nagles Mountains
Rathcormack
Conna
Tallow
Millstreet
418m
Bride
Boggeragh Mountains
Glenville
Strandcally Castle
Aglish
The Paps
696m
Rylane Cross
Grenagh
Ballynoe
Watergrasshill
Musheramore
646m
Donoughmore
Ballincurrig
205m
Clashmore
Poulgorm Bridge
Derrynasaggart Mountains
190m
Blarney Castle
205m
Dungourney
Crean's Cross Roads
White's Cross
CORK
CORCAIGH
Killeagh
Youghal
Eochaill
Baile Mhic Ire
Blarney
Sullane
Dripsey
Midleton
Macroom
R. Lee
Fota Island
Carrigtohill
Castlemartyr
Béal Átha an Ghaorthaidh
227m
Coachford
Ballincollig
Douglas
Fota Wildlife Park
Ballymacoda
Inchigeelagh
Carrigadrohid Reservoir
Crookstown
Cobh
An Cóbh
Cloyne
Ballymaloe
Knockadoon Head
River Lee
Kilmichael
Garranes Ring Fort
Cross Barry
Passage West
Cork Harbour
Shanagarry
Pass of Keimaneigh
Templemartin
Carrigaline
Ringaskiddy
Whitegate
89m
Ballycotton
232
Shanlaragh
220m
Ballinhassig
Crosshaven
Guileen
Cappeen
185m
Power Head
Togher
Enniskean
Innishannon
Belgooly
537m
Ballineen
Bandon
Dunmanway
Kinsale
Charles Fort
Ballingurt
Kilbrittain
129m
Frower Point
Drimoleague
Lisnagun Ringfort
Timoleague
Michael Collins Memorial Centre
Lispatrick
Clonakilty
141m
Courtmacsherry
Leap
172m
Inchydoney Island
Butlerstown
Old Head of Kinsale
Glandore
Rosscarbery
Courtmacsherry Bay
Seven Heads
Union Hall
Drombeg Stone Circle
Castletownshend
99m
Galley Head
Toe Head

A
B
C
Carlow
Castlecomer
Durrow
Rathdowney
Templemore
Toomyvara
Dolla
Silvermine Mts.
Keeper Hill
695m
Borrisoleigh
Templetouhy
Johnstown
Freshford
Ballyragget
Leighlinbridge
Dunmore Cave
Newport
Rear Cross
Upperchurch
Ballycahill
Thurles
Durlas
Urlingford
Kilcooley Abbey
Kilkenny
Cill Chainnigh
Moroe
Milestone
Holycross Abbey
Gortnahoo
Twomileborris
Littleton
Muine Bheag
Whitehall
Gowran
Cappamore
Doon
Cappagh White
Ballagh
Holycross
Good's Cross
Horse
Kilmanagh
Ballingarry
Blanchville House
Dungarvan
Tullaherin
Golden Vale
Pallas Grean
Dundrum
Donohill
Ballinure
Killenaule
Callan
Bennettsbridge
Kells
Graiguenamanagh
Rock of Cashel
Cashel
Hore Abbey
Golden
Mullinahone
Stoneyford
Thomastown
Jerpoint Abbey
Inistioge
Hospital
Emly
Tipperary
Bansha
Athassel Priory
Rosegreen
Fethard
Cloneen
Ninemilehouse
Slievenamon
722m
Kilmaganny
Knocktopher
Ballyhale
Galbally
Lisvarrinane
Glen of Aherlow
New Inn
Ballyderahan
Ahenny
Tullaghought
New Ross
Ballylanders
Galtymore Mt.
919m
Galty Mountains
Cahir
Cahir Castle
Clonmel
Cluain Meala
Kilsheelan
Carrick-on-Suir
Carraig na Siúire
Mullinavat
Glenmore
Dungans-town
Knockanevin
Ballylooby
Ardfinnan
Ormond Castle
Piltown
Fiddown
Mitchelstown Caves
Mitchelstown
Clogheen
Newcastle
Comeragh Mts.
Knockanaffrin
755m
Curraghmore
Clonea
Portlaw
Dunbrody Abbey
Ballyhack
The Vee
Ballyporeen
Knockmealdown Mts.
Ballymacarbry
Kildorrery
Araglin
Mt. Melleray Monastery
Monavullagh Mts.
Kilmacthomas
WATERFORD
PORT LÁIRGE
Passage East
Arthurstown
Glanworth
Kilworth
Knocknafallia
795m
Ballynamult
Seefin
595m
Kill
Fennor
Tramore
Dunmore East
Clohernagh
Ballyhooly
Fermoy
Ballyduff
Lismore Castle
Lismore
Cappoquin
Lemybrien
Stradbally
Bunmahon
Annestown
Blackwater
Tallowbridge
Conna
Tallow
Dungarvan
Dún Garbhán
Clonea Bay
Copper Coast Geopark
Brownstown Head
Waterford Harbour
Slade
Hook Head
Rathcormack
Ballynoe
Bride
Strancally Castle
Aglish
Ballynacourty
Dungarvan Harbour
Helvick Head
An Rinn
Clashmore
Ballincurrig
Dungourney
Kinsalebeg
Youghal
Eochaill
Ardmore
Killeagh
Midleton
CORK
CORCAIGH
Fota Island
Carrigtohill
Castlemartyr
Fota Wildlife Park
Cobh
An Cóbh
Cloyne
Ballymaloe
Ballymacoda
Knockadoon Head
Youghal Bay
Cork Harbour
Shanagarry
Ringaskiddy
Whitegate
Guileen
Ballycotton
Crosshaven
Power Head
231
228
E 20
E 201
E 30
M8
M9
N24
N25
N62
N72
N74
N75
N76
N77
N78
N28
TOLL
A
B
C

229

D
E
F
5
4
3
2
1
Browne's Hill Dolmen
Tullow
Clonmore
433m
Woodenbridge
281m
Mizen Head
Arklow
Tinahely
607m
Inch
422m
Shillelagh
457m
Derry
Clonegall
Carnew
Gorey
254m
Ballon
Myshall
457m
Bunclody
423m
Clogh
Courtown
Riverchapel
Mount Leinster
796m
Blackstairs Mountains
Camolin
Ferns
235m
217m
Bann
Monamolin
Ballygarrett
Cahore Point
734m
Kiltealy
Marshalstown
Enniscorthy
Inis Córthaidh
Oulart
153m
Kilmuckridge
74m
Clonroughe
182m
Oilgate
74m
Blackwater
Adamstown
192m
183m
Curracloe
Castlebridge
Wexford Bay
Camaross
John F. Kennedy Arboretum
Irish National Heritage Park
Wexford
Loch Garman
Wexford Harbour
Taghmon
Johnstown Castle
Gusserane
Wellingtonbridge
Piercetown
Rosslare
Rosslare Harbour
Killinick
Tintern Abbey
604m
Bridgetown
Greenore Point
Tagoat
Duncannon
Duncormick
Lady's Island
Churchtown
Fethard
Ballyteige Bay
Kilmore Quay
Carnsore Point
Hook Peninsula
Slade
Hook Head
Saltee Islands
Irish Sea
Saint George's Channel
725
747
N80
N81
M11
702
746
741
730
N30
E 30
N25
733
736
E 01
N11
26
25
20
21
22
23

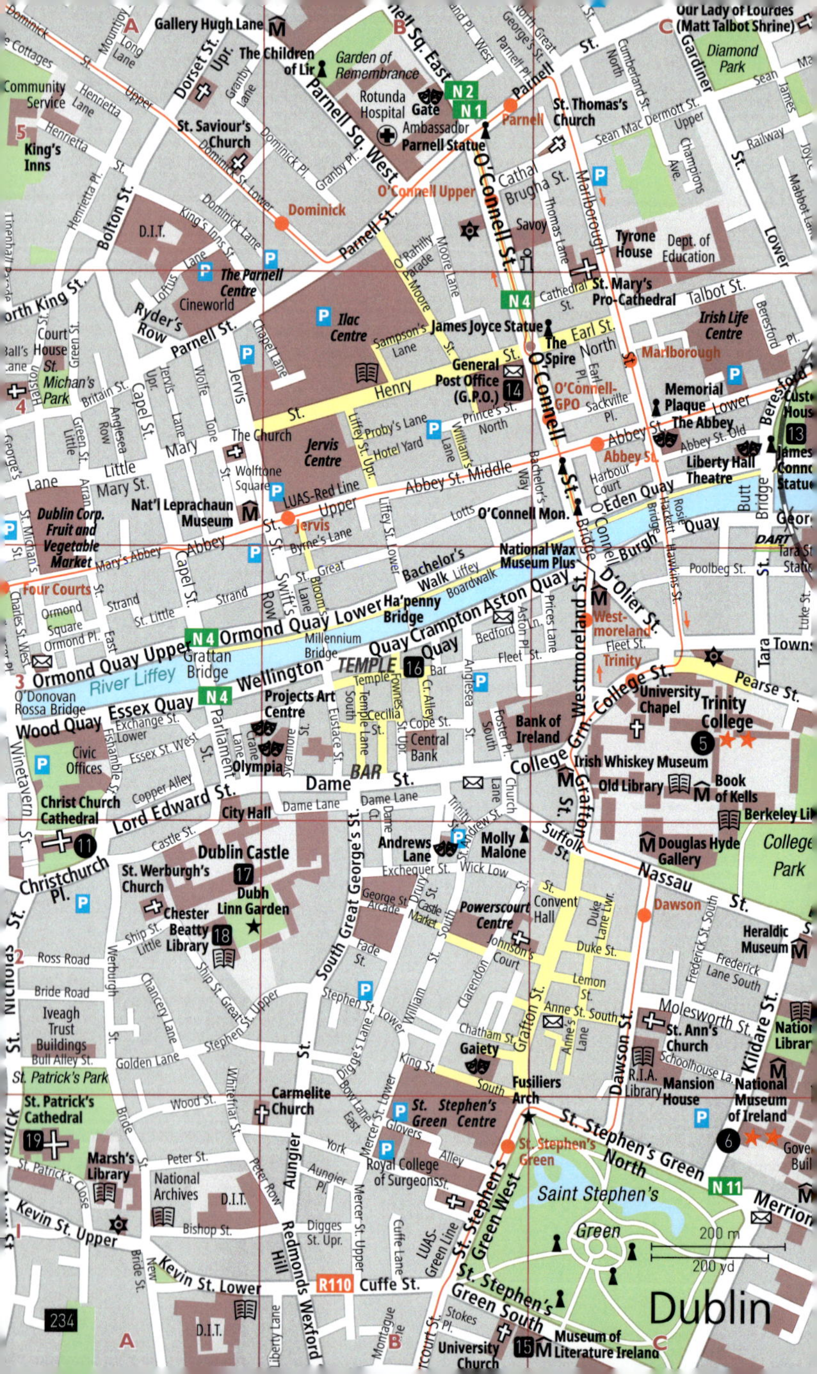
Dublin
Gallery Hugh Lane
The Children of Lir
Garden of Remembrance
Rotunda Hospital
Gate
Ambassador
Parnell Statue
Parnell Sq. East
Parnell Sq. West
Parnell
St. Thomas's Church
Our Lady of Lourdes (Matt Talbot Shrine)
Diamond Park
Community Service
King's Inns
St. Saviour's Church
Dominick
O'Connell Upper
D.I.T.
The Parnell Centre
Cineworld
Ilac Centre
James Joyce Statue
The Spire
General Post Office (G.P.O.)
O'Connell-GPO
Marlborough
Tyrone House
Dept. of Education
St. Mary's Pro-Cathedral
Irish Life Centre
Memorial Plaque
The Abbey
Abbey St.
Liberty Hall Theatre
James Connolly Statue
Custom House
Court House
St. Michan's Park
Jervis Centre
The Church
Wolftone Square
LUAS-Red Line
Jervis
Nat'l Leprachaun Museum
Dublin Corp. Fruit and Vegetable Market
Four Courts
O'Connell Mon.
National Wax Museum Plus
Ha'penny Bridge
Millennium Bridge
Grattan Bridge
River Liffey
O'Donovan Rossa Bridge
Ormond Quay Upper
Ormond Quay Lower
Wellington Quay
Crampton Quay
Aston Quay
Eden Quay
Burgh Quay
Westmoreland
Trinity
TEMPLE BAR
Projects Art Centre
Olympia
Central Bank
Bank of Ireland
University Chapel
Trinity College
Irish Whiskey Museum
Old Library
Book of Kells
Berkeley Library
College Park
Douglas Hyde Gallery
Civic Offices
Christ Church Cathedral
City Hall
Dublin Castle
Dubh Linn Garden
St. Werburgh's Church
Chester Beatty Library
Andrews Lane
Molly Malone
Powerscourt Centre
Convent Hall
Dawson
Heraldic Museum
St. Ann's Church
R.I.A. Library
Mansion House
National Library
National Museum of Ireland
Iveagh Trust Buildings
St. Patrick's Park
St. Patrick's Cathedral
Marsh's Library
Carmelite Church
Gaiety
Fusiliers Arch
St. Stephen's Green Centre
Royal College of Surgeons
St. Stephen's Green
Saint Stephen's Green
National Archives
D.I.T.
University Church
Museum of Literature Ireland
Dame St.
Lord Edward St.
Grafton St.
Nassau St.
Dawson St.
Kildare St.
Pearse St.
College St.
Westmoreland St.
D'Olier St.
O'Connell St.
Henry St.
Talbot St.
Abbey St. Middle
Parnell St.
Capel St.
Bolton St.
Aungier St.
Kevin St. Upper
Kevin St. Lower
Cuffe St.
Christchurch Pl.
Winetavern St.
200 m
200 yd
N 1
N 2
N 4
N 11
R110
A
B
C
1
2
3
4
5

Register

AA: 179 r., C. Jones 146; G. Munday 183; I. Dawson 210; J. Johnson 167 l. o.; L. Blake 145; S. Day 56; S. McBride 110

DuMont Bildarchiv, Ostfildern: Johann Scheibner 5 o. 5 u., 6 (1) und 108 o., 6 (3) und 66/67, 6 (4), 10 o., 6 (7) und 31 u., 10 u., 15, 16 u., 17, 22 l., 28, 31 o., 34/35, 45, 59, 62, 64, 71 o., u., 75 o., 76, 77, 80, 81, 84 und 6 (9), 90, 93, 97, 98/99, 107 o., u., 108 M., u., 119, 120, 121, 122, 127, 129, 130/131, 136 o., 140, 142, 144, 149, 152, 153, 155, 161, 175 o., u. l., u. r, 176, 184, 186, 189, 193 o., 195, 196, 206 o., l. u., 212/213; Jürgen Modrow 139; Olaf Meinhardt 19 o., 60, 179 l.

Fallon & Byrne, Dublin: 41 o., 42; Siobhan Byrne Photography 39 o.

Getty Images, München: Culture Club: 33; Education Images 113; MediaProduction: 173 u.; NurPhoto: 20; Tim Clayton – Corbis 103 u.

Huber-Images, Garmisch-Partenkirchen: Wolfgang Huber 150

iStock.com, Calgary (CA): Bartosz Luczak 103 o.; invizbk 135 o.

Mauritius Images, Mittenwald: age fotostock / Christophe Boisvieux 136 u.; age fotostock / David Lyons 169 o.l., 209 o.; Brickley Pix/Alamy: 32 u.; Chris Bull/Alamy 54; Dermot Blackburn / Alamy / Alamy Stock Photos 199; Hemis.fr / Philippe Renault 46 r.; Ian Dagnall/Alamy 104 u. und 6 (10), 142, 147; Masterfile RM/R. Ian Lloyd 118; Mauro Toccaceli / Alamy 135 u.; Neil McAllister/Alamy 9; Phil Crean A/Alamy 27 u.; Prisma/Vdovin Ivan 104 o. und 6 (10); Science Faction/Mark Alberhasky 171; Stephen Barnes/Travel / Alamy 19 u.; Tim Clayton – Corbis 103 u.; Walter Bibikow 94

picture-alliance, Frankfurt a. M.: akg-images/Werner Forman 6 (6) und 51 o.

Schapowalow Bildagentur, Hamburg: Francesco Carovillano 173 o. und 6 (8); Hans-Peter Huber 16 o.; Massimo Ripani 159; Sebastian Wasek 142

Shutterstock.com, Amsterdam (NL): Alex_Mastro: 22 r.; Andrei Nekrassov 117 l; Anton Ivanov 49 o., 49 u.; Brian O Conchuir 114; Clayton Harrison 27 o.; Daniel OBrien Photography 88; Derick P. Hudson 41 u.; D. Ribeiro 117 r.; Elena Schweitzer 203; essevu 107 u.; Madrugada Verde 57; mark gusev 198; MNStudio 92; Pyma: 6 (2); MNStudio 79; Salvador Maniquiz 55; STLJB 6 (5); Sergii Figurnyi 162/163; Tanner Harms 118; visual-journey 141; wavebreakmedia 24

Stock.adobe.com, Dublin (IRE): bennytrapp 209 u.; Gabriela 193 u.; Johannes Rigg 111; Lukasz Pajor 105

Thomas Peter Widmann, Regensburg: 85

Tourism Northern Ireland: 169 r., 181 o.; Brian Morrison: 167, 168, 169 l. u., 181 u., 190/191; David Cordner: 206 u. r.

Tourism Ireland, Dublin: 75 u., 124; Brian Morrison 46 l., 53, 73 r., 167 r., 168, 169 l. u.; Chris Hill 74; James Fennell 39 u.; Luke Myers 72; Neal Houghton 73 l.; Photo Derek Cullen 157; Rob Durston 43, 51 u., 61, 89

Titelbild oben und unten: George Karbus Photography/gettyimages; DuMont Bildarchiv/Johann Scheibner
Umschlag hinten: David Soanes Photography/gettyimages

IMPRESSUM

6., aktualisierte Aufl. 2025

Text: Birgit Müller-Wöbcke, Dr. Manfred Wöbcke, Christopher Somerville, Louise McGath
Übersetzung: Dr. Siegfried Birle
Aktualisierung: Bernd Biege
Redaktion: Eszter Kalmár (www.lektorat-kalmar.de)
Grafik: Dagmar Rogge

Kartografie: © KOMPASS-Karten GmbH, A-6020 Innsbruck; MAIRDUMONT, D-73751 Ostfildern
3D-Illustration: jangled nerves, Stuttgart
Visuelle Konzeption: Neue Gestaltung, Berlin

Printed in China

Trotz aller Sorgfalt von Autorinnen, Autoren und Redaktion sind Fehler und Änderungen nach Drucklegung leider nicht auszuschließen. Dafür kann der Verlag keine Haftung übernehmen. Berichtigungen, Kritik und Verbesserungsvorschläge sind uns jederzeit willkommen, bitte informieren Sie uns unter:

Baedeker Redaktion
Postfach 3162
D-73751 Ostfildern
Tel. 0711 45 02-262
smart@baedeker.com
www.baedeker.com

FSC
www.fsc.org
MIX
Papier aus verantwortungsvollen Quellen
FSC® C124385

DAS KLIMA IM BLICK

Reisen bereichert und verbindet Menschen und Kulturen. Wer reist, erzeugt auch CO_2. Der Flugverkehr trägt in erheblichem Maße zur globalen Erwärmung bei. Wer das Klima schützen will, sollte sich – wenn möglich – für eine schonendere Reiseform entscheiden oder die Projekte von atmosfair unterstützen. Flugpassagiere spenden einen kilometerabhängigen Betrag für die von ihnen verursachten Emissionen und finanzieren damit Projekte in Entwicklungsländern, die dort den Ausstoß von Klimagasen verringern helfen (www.atmosfair.de). Auch die Mitarbeiter von MairDuMont fliegen mit atmosfair.

atmosfair

Meine Notizen